大學漢文

개정판

大學漢文

李溱旭 外

도서출판 동인

序 文

　　漢文은 낡은 중세의 산물, 혹은 우리 문화가 아닌 중국의 것이라는 오해를 받아왔다. 그러나 이는 한문에 대한 無知와 偏見의 所産이다. 우리 民族은 오랜 세월 중국과 활발한 文化 交流를 하였으며, 우리 문화의 바탕 위에 중국 문화를 더하여 獨創的이고 고유한 문화를 暢達해 왔다. 따라서 한문을 익히고, 그 본질을 이해하는 것은 민족문화의 뿌리를 穿鑿하고, 그 바탕 위에서 새로운 문화를 꽃 피우기 위한 礎石을 놓는 작업이라 할 수 있다. 그러므로 한문을 공부한다는 것은 단순히 과거의 것, 중국의 것을 배우는 것이 아니라 이를 통해서 이룩한 우리 문화의 獨自性과 根源을 이해하는 길과 다르지 않다. 하지만 西勢東漸의 時代 狀況에서 우리는 이러한 漢文 敎育의 필요성을 서양 중심의 近代化라는 이름하에 외면하였던 것이 사실이다.

　　그러나 다행스럽게도 최근 漢字와 漢文에 대한 관심이 높아지고 있다. 政府가 동북아 물류 중심 國家를 목표로 설정하면서, 그 첫 단계로 앞으로는 초등학교에서도 한자를 倂記하기로 하는 등 가시적인 성과가 나타나고 있다. 또한 각 企業이 입사 지원자의 한자 능력을 요구하자 한자를 졸업인증제도로 도입하는 대학이 늘어나고 있는 趨勢이다. 이러한 現狀的인 要求와 더불어 韓流를 통한 우리 문화의 再發見에도 한문 교육의 중요성이 內在되어 있다. 한류가 지속되기 위해서는 우리 傳統을 밑거름으로 해야 하는데, 전통의 活用은 한문으로 기록된 文化 遺産에 대한 이해에서 출발한다.

이 책은 이와 같은 背景을 직시하며, 다음의 몇 가지 특징을 살려 改訂 編纂 하였다.

첫째, 우리 生活과 密接한, 그리고 요즘 학생들의 관심사를 반영한 주제를 바탕으로 基礎 漢字 및 語彙를 충실히 수합하고 이를 文章 속에 담아 전달하고자 하였다. 문장과 단어는 가능한 範圍 내에서 實生活에 자주 활용되는 것을 골라 體系化하고자 하였으며, 2001년부터 2016년까지 교수신문사에서 선정한 역대 '올해의 사자성어'와 그 설명을 수록하여 시사성을 강화하였다.

둘째, 知識의 단계별 확장을 염두에 두었다. 각 장의 주제와 연관된 基本 文章을 배우고, 문장에 나타난 기초 한자를 바탕으로 부수와 어휘로 그 범위를 확장하며, 문장의 주제와 연관된 故事成語를 익히는 過程을 통해서 단계별 학습이 가능하도록 하였다. 이를 통해 주제와 관련된 逸話와 事例를 소개하고 마지막으로 深化하는 과정을 취하였다. 학생들의 수준 편차를 고려하여 미흡한 점을 보충하기 위하여 Ⅲ장에 故事成語와 名言 名句를 수록하였고, Ⅳ장에는 名文을 주제별로 나누어 參考資料로 삼도록 했다.

셋째, 東洋 精神과 人文 敎養에 대한 배려를 담았다. 이 책에 실린 문장들은 우리의 思惟와 認識을 배태한 古典을 중심으로 선택하였다. 우리 선조들이 축적한 經驗과 쌓아온 노력을 反芻하여 오늘날 우리의 삶을 더욱 풍요롭게 하는 契機가 되었으면 한다.

이 자리를 빌려 감사한 마음을 전할 분들이 많다. 우선 기초 한자 그림과 글씨를 담당해 주신 김정민 선생의 勞苦에 큰 감사를 드린다. 아울러 출판업계의 열악한 상황 속에서도 흔쾌히 책을 만들어 주신 도서출판 동인의 이성모 사장님, 그리고 책의 편집을 담당해 주신 박하얀 선생에게 고마운 마음을 전한다.

2017년 2월 李 溪 旭 識

차례

제1장

· · ·

한문의 기초적 이해

한자의 부수

1. 한자의 부수와 분류

部首는 字形을 구조상 분석하여 일정한 부류로 나눌 때, 그 部를 대표하는 기본 字이다. 해당 글자의 구조 내에서 변·몸·머리·받침 등으로 위치한 이 부수는 일반적으로 상형·지사문자로서 해당자의 字義를 일정하게 한정해 두고 있기 때문에, 이 부수가 가진 形·義에 대한 정확한 인식은 해당 개별자의 形·義의 파악에 일정한 도움을 준다. 부수는 또한 字典에 실려 있는 한자를 찾는 길잡이 구실을 한다. 부수는 한자의 구성원리에 따라 분류되고, 획수의 순서에 따라 배열된다. 따라서 부수는 한자의 특색을 잘 나타낸 부분으로서 같은 계통의 여러 글자를 묶어서 분류한 것이다.

자전에서 어떤 한자를 찾고자 할 때, 제일 먼저 확인해야 할 것이 바로 부수다. 그것은 부수가 한자를 배열하는 가장 기본적인 방법이기 때문이다. 그러므로 부수에 대한 공부는 한자의 이해와 직결된다. 부수의 수는 역대로 변동이 있었으나, 1615년 明나라 梅膺祚의 「字彙」에 이르러 1획에서 17획까지 214 부수로 정착되어 오늘에 이르고 있다.

부수는 위치에 따라 '변', '방', '머리', '받침', '엄', '발', '몸', '제부수' 등으로 분류된다.

邊		글자의 왼쪽에 있는 부수를 '변'이라고 한다. 예) 仙 記 結 好 根 江
傍		글자의 오른쪽에 있는 부수를 말한다. 예) 則 歌 放 相 和 類 到 鷄
冠		부수가 위에 있을 때는 이것을 '머리' 또는 '頭'라고 한다. 예) 花 安 霜 草 星 寒 第
繞		부수가 글자의 왼쪽에서 밑으로 받쳐져 있을 때, 이것을 '받침'이라고 한다. 예) 建 廷 遠 近 起
垂		부수가 글자의 위에서 왼쪽으로 덮여 있는 것을 엄호라 한다. 예) 病 居 度 房 庭
脚		부수가 글자의 밑에 있는 것을 발이라 한다. 예) 念 忠 盛 兄 共
構		부수가 주로 글자의 밖에서 글자를 에워싸고 있을 때, 이것을 '몸' 또는 '에운담'이라고 한다. 이 '몸' 안에 있는 글자를 '안'이라고 하는데, '안'은 부수가 되지 못한다.

	예) 區 匹		예) 開 間
	예) 困 國		예) 術 街

2. 부수의 변형

부수가 독립된 글자로 쓰일 때의 字形과 글자의 일부로 쓰일 때의 자형이 다른 경우가 종종 있다. 이것은 부수가 글자에 포함될 때 變形되기 때문이다.

人	사람 인	亻 : 傑 個 債	刀	칼 도	刂 : 刑 利 到
川	내 천	巛 : 巡 巢	手	손 수	扌 : 打 技 持
心	마음 심	忄 : 忙 恨 悟 小 : 恭	攴	칠 복	攵 : 敎
歹	죽을 사	歺 : 死 歿 殆	水	물 수	氵 : 深 淸 溪 氺 : 求
火	불 화	灬 : 無 熱 点	爪	손톱 조	爫 : 爭 爲
牛	소 우	牜 : 牧 特	犬	개 견	犭 : 狗 狂
尢	절름발이 왕	尢 : 尤 尨	示	볼 시	礻 : 社 神
老	늙을 로	耂 : 考 耆 者	网	그물 망	罒, 罓, 冈 : 罔 罪 羅
艸	풀 초	草 茶 艾	玉	구슬 옥	王 : 珍 珠 理
衣	옷 의	衤 : 初 袖	肉	고기 육	肥 肝 脚
長	길 장	镸 : 镻	辵	쉬엄쉬엄갈 착	辶 : 近 遠 送
邑	고을 읍	阝(오른쪽): 邦 都 邱	阜	언덕 부	阝(왼쪽): 防 陵 限

한문의 품사

하나의 문장은 대개 서로 성질이 다른 여러 가지 단어로 이루어진다. 이들은 성질이 비슷한 것도 있고 다른 것도 있다. 성질이 비슷한 단어끼리 모은 단어의 갈래를 品詞라고 한다. 그러나 한문에서 품사를 분류한다는 것은 여러 가지로 어려운 점이 많다. 모든 한자는 그 字體에 아무 변화 없이 어떤 때는 명사로, 어떤 때는 동사, 부사 등으로 나타난다. 그러므로 한문에서의 품사 분류는 句文 상에서 그 품사의 기능에 따라 분류되는 것이다. 독립된 품사 분류가 불가능하기 때문이다. 현재 우리나라에는 대체로 품사를 名詞, 代名詞, 數詞, 動詞, 形容詞, 副詞, 接續詞, 介詞, 終結詞, 感歎詞로 나누며, 그 외의 용어는 한국어 문법에 준하도록 한문과 교육 과정에 명문화하였다.

1. 명사

사물의 이름을 나타내는 것으로 固有名詞와 普通名詞, 依存名詞의 세 가지로 나눌 수 있다. 이 중 고유명사와 보통명사는 뜻을 보면 쉽게 이해되지만 의존명사의 경우는 해석상 특별히 유의해야 한다.

1) 고유명사

인명·국명·지명 등 그것만이 가지고 있는 고유한 이름을 나타내는 명사.

- 孔子, 李白, 杜甫, 李舜臣, 高麗, 朝鮮, 唐, 漢陽, 釜山, 長安 등.

2) 보통명사

일반적인 사물의 이름을 나타내는 명사.

- 貴族, 庶民, 家族, 天, 地, 人, 親舊, 冊, 花, 牛, 馬, 學校 등.

3) 의존명사

단독으로 갖고 있는 의미가 없이 아래나 윗말에 의존해야 어떤 뜻을
나타내는 명사로, 所(…하는 바, 것), 所以(…하는 까닭, …하는 바), 者
(…하는 사람, …하는 것) 등이 있다.

- 愚民 有所欲言 : 어리석은 백성이 말하고자 하는 바가 있다.
- 敢問其所以異 : 감히 그 다른 까닭을 묻습니다.
- 吾與子之所共樂也 : 나와 그대가 함께 즐기는 것이다.
- 奢者心常貧 : 사치한 사람은 마음이 항상 가난하다.
- 孝者百行之本也 : 효란 것은 모든 행동의 근본이다.
- 尊師者所以傳道 : 스승을 존경하는 것은 도를 전하는 까닭이다.

2. 대명사

사물의 구체적인 이름을 대신하여 나타내는 말로 人稱代名詞, 指示代
名詞, 疑問代名詞로 나눈다.

1) 인칭대명사

사람을 가리키는 대명사로 1인칭, 2인칭, 3인칭이 있다.

① 1인칭 : 我, 吾, 予, 余, 己, 朕, 寡人, 臣, 妾 등.
- 吾十有五而志于學 : 나는 십오 세에 학문에 뜻을 두었다.
- 予爲此憫然 : 내가 이를 불쌍히 여기다.
- 我鞠躬不敢息 : 나는 허리를 굽혀 감히 숨소리도 내지 못했다.

② 2인칭 : 汝, 女, 爾, 子, 而, 貴下, 君, 公, 先生, 客, 小子 등.
- 子將安之 : 그대는 장차 어디로 가려는가?
- 誨女知之乎 : 너에게 안다는 것에 대하여 말해 주겠다.

- 子奚不爲政 : 그대는 어찌하여 정치를 하지 않습니까?

③ 3인칭 : 他, 彼, 此, 是, 其, 夫, 之 등.
- 彼丈夫也 我丈夫也 : 그도 대장부이고, 나도 대장부이다.
- 是吾師也 : 이분은 나의 선생님이다.
- 我皆有禮 夫猶鄙我 : 우리가 (하는 것은) 모두 예의가 있는데 그들은 오히려 우리를 무시한다.

④ 미지칭 : 誰, 孰, 或 등.
- 誰曰不然 : 누가 그렇다고 하지 않으리오.
- 吾孰與處於此 : 나는 누구와 더불어 여기에 머물겠는가?

2) 지시대명사
어떤 사물의 이름을 직접 부르지 않고 그것을 대신하여 부르는 말.

① 근칭 : 是, 此, 斯, 玆 등.
- 是寡人之過也 : 이것은 과인의 허물이다.
- 此勝則彼劣 : 이것이 나으면 저것이 못하다.

② 원칭 : 彼, 夫, 厥 등.
- 彼人是哉 子曰何其 : 그 사람이 옳습니까? 당신들은 왜 그렇게 말합니까?
- 率是農夫 播厥百穀 : 이 농부들을 거느리고 그 모든 곡물을 파종하네.

③ 부정칭 : 有, 或, 某, 何 등.
- 前時某喪 使公主某事 : 전에 어느 집에서 상사를 처리하는데 공으로 하여금 어떤 일을 주관하게 했다.
- 以此攻城 何城不克 : 이 군대로 성을 공격하면 어느 성인들 공략하지 못하리오.

3) 의문대명사

어떤 일의 원인이나 사물 등의 대상에 대해 의문의 뜻으로 나타내는 말로 何, 胡, 安, 焉, 誰, 孰, 幾何, 幾許 등이 있다.

- 大王來何操 : 대왕께서는 무엇을 가지고 왔습니까?
- 天下之父歸之 其子焉往 : 천하의 아버지들이 모두 그에게로 돌아가면, 그들의 아이들은 어느 곳으로 돌아갑니까?

3. 수사

사물의 수량이나 순서를 나타내는 말인데, 숫자를 나타내는 基本數詞와 序數詞로 나눈다.

1) 기본수사

기본 숫자를 나타내는 말.

- 一, 二, 三 … 十 … 百 … 億 … 兆 등.

2) 서수사

- 第一, 第二, 第三, 第十二 등.

4. 동사

사물의 동작이나 작용을 나타내는 말로, 自動詞, 他動詞, 助動詞로 나눈다.

1) 자동사

동작이 다른 사물에 미치지 않는 동사 : 居, 休, 卒, 開 등.

- 晉文公卒 : 진나라 문공이 죽다.

- 花開 鳥鳴 : 꽃이 피니 새가 운다.
- 吾計決矣 : 나의 계획은 결정되었다.

2) 타동사

동작이 다른 사물에 미치는 동사 : 作, 見, 問, 知 등.

- 久矣 吾不復夢見周公 : 오래되었구나! 내가 다시 주공을 꿈에 뵙지 못한 것이.
- 溫故而知新 可以爲師矣 : 옛것을 익혀서 새것을 알면 가히 스승이 될 수 있다.
- 爾愛其羊 我愛其禮 : 너는 양을 사랑하지만 나는 그 예를 사랑한다.

3) 조동사

동사를 도와 그 뜻을 더 뚜렷하게 해주는 동사.

① 가능 : 可, 能, 足, 得, 可以, 足以 등.
- 賜也 始可與言詩已矣 : 사는 비로소 가히 더불어 시경을 논할 만하다.
- 願令得補黑衣之數 以衛王宮 : 원컨대 그로 하여금 지키는 병사의 수를 보충할 수 있게 하여 왕궁을 보위하십시오.

② 부정 : 不, 弗, 未, 非, 無, 末, 莫 등.
- 玉不琢不成器 人不學不知道 : 옥은 쪼지 않으면 그릇을 이룰 수 없고, 사람은 배우지 않으면 도를 알지 못한다.
- 雖有至道弗學 不知其善也 : 비록 지극한 도가 있어도 배우지 않으면 그 도를 알지 못한다.

③ 금지 : 勿, 母, 無, 莫, 休 등.
- 勿覬覦非分 : 분수가 아닌 것을 넘보지 말라.
- 莫欺梨無主 : 배의 주인이 없다고 속이지 말라.

④ 당위 : 可, 當, 宜, 須, 應 등.
- 男兒須讀五車書 : 남자는 모름지기 다섯 수레의 책을 읽어야 한다.
- 丈夫爲志 窮當益堅 老當益壯 : 대장부가 뜻을 세웠으면 곤궁해도 더욱 굳어야 하며, 나이가 들수록 더욱 웅장해야 한다.

⑤ 피동 : 被, 見, 爲, 所, 爲~所 등.
- 匹夫見辱 拔劍而起 : 평범한 사람은 치욕을 당하면 칼을 빼고 일어난다.
- 卒爲天下笑 : 마침내 천하 사람들의 웃음거리가 되었다.

⑥ 사동 : 使, 令, 敎, 殺 등.
- 天帝使我長百獸 : 하느님이 나로 하여금 온갖 짐승의 우두머리가 되게 하셨다.
- 鄭穆公使視客館 : 정목공은 사람을 시켜서 객사를 살펴보게 했다.

⑦ 원망 : 請, 欲, 願, 幸 등.
- 欲加之罪 其無辭乎 : 죄를 판결하고자 하는데, 변명할 말이 없는가?
- 王好戰 請以戰喩 : 왕께서 전쟁을 좋아하시니, 청컨대 전쟁을 예로 들어 말씀드리겠습니다.

5. 형용사

大, 小, 靑, 紅, 有, 無, 鮮 등과 같이 사물의 성질, 상태, 존재를 나타내는 말.
- 靑天 : 푸른 하늘
- 華麗江山 : 화려한 강산
- 能補過者鮮矣 : 허물을 보완하여 바르게 하는 사람이 적다.

6. 부사

동사, 형용사, 부사 또는 문장 전체를 한정해주는 말.

1) 범위부사

뒤에 나오는 말을 총괄(예; 具, 悉, 咸 등)하거나, 한정(예; 獨, 但 등),
개괄(예; 總, 凡 등)하여 범위를 나타내는 부사.
- 問所從來 <u>具</u>答之 : 온 곳을 묻기에 모두 대답하였다.

2) 정도부사

최고(예; 最, 至, 致, 極 등), 비상(예; 特, 尤, 甚 등), 비교(예; 愈, 益, 滋
등), 경미(예; 少, 微, 差 등), 접근(예; 且, 幾, 殆 등)을 나타내는 부사.
- 水<u>至</u>淸則無魚 人<u>至</u>察則無徒 : 물이 너무 맑으면 고기가 모여들지
  않고, 사람이 너무 깐깐하면 따르는 자가 없다.
- 臣之罪<u>甚</u>多矣 : 신의 죄가 심히 많습니다.
- 如水<u>益</u>深 如火<u>益</u>熱 : 만일 물이 더 깊어지고 불이 더 뜨거워진다면

3) 시태부사

시원(예; 始, 初 등), 입각(예; 立, 卽 등), 미래(예; 將, 且 등), 과거(예;
已, 旣, 曾, 嘗 등), 지속(예; 尙, 猶, 且 등), 승접(예; 乃, 因, 遂, 卽 등),
종결(예; 卒, 終, 竟, 遂 등)을 나타내는 부사.
- <u>初</u>鄭武公娶於申曰武姜 : 처음에 정나라 무공은 신나라로부터 아내
  를 맞아 들였는데 무강이라고 했다.
- 道之不行<u>已</u>知之矣 : 도를 행할 수 없음을 이미 알았다.
- 寡人<u>已</u>知將軍能用兵矣 : 과인은 장군이 병사를 다룰 수 있다는 것
  을 이미 알고 있었다.

4) 정태부사

경상(예; 每, 常 등), 중복(예; 又, 復, 亦, 更 등), 돌연(예; 卒, 突, 暴, 乍

등), 축점(예; 益, 浸, 漸 등), 빈번(예; 頻, 數, 屢 등), 상동(예; 均, 同, 猶 등) 등을 나타내는 부사.

- 每念斯恥 汗未嘗不發背沾衣也 : 매번 이 치욕을 생각할 때마다 등에서 땀이 나서 옷을 적시지 않은 적이 없다.
- 群臣皆愕 卒起不意 盡失其度 : 여러 신하들은 모두 놀라고 돌연히 생각지도 못한 일이 일어났기 때문에 완전히 그 법도를 잃었다.

5) 어기부사

반전(예; 反, 顧, 覆, 更 등), 의외(예; 乃, 竟, 曾, 寧 등), 의측(예; 其, 殆, 意, 或 등), 확인(예; 乃, 卽, 則 등), 반문(예; 豈, 庸, 寧, 胡 등) 등을 나타내는 부사.

- 是商君反爲主 大王更爲臣也 : 이렇게 되면 상앙은 도리어 임금이 되고, 대왕은 도리어 신하가 되는 것입니다.
- 問今是何世 乃不知有漢 無論魏晉 : 지금이 어느 세상인가를 묻는데, 오히려 한나라가 있었음을 알지 못했으니 위·진나라는 말할 것도 없었다.
- 田園將蕪胡不歸 : 전원이 장차 거칠어지려 하니 어찌 돌아가지 않으리오.

6) 부정부사

不, 弗, 未 등과 같이 서술적 부정, 非, 微 등과 같이 부정판단, 毋, 勿 과 같이 부정의 뜻을 나타내는 부사.

- 不登高山 不知天之高也 : 높은 산에 오르지 않고서는 하늘의 높음을 알지 못한다.
- 毋友不如己者 : 자기보다 못한 자를 벗하지 말라.

7. 접속사

단어와 단어, 句와 句, 문장과 문장 사이를 연결해주는 말.

1) 병렬접속사

及, 與, 以 등과 같이 동등한 관계의 단어와 단어, 구와 구, 문장과 문장을 나열해주는 역할을 한다.

- 其爲人也 善射以好思 : 그 사람됨이 활쏘기를 잘하고 생각하기를 좋아한다.
- 楚人有鬻矛與盾者 : 초나라 사람 중에 창과 방패를 파는 사람이 있었다.

2) 선택접속사

若, 或, 抑, 且, 與其…寧, 與其…不若, 寧…無 등과 같이 단어와 단어, 句와 句, 문장과 문장 사이에서 한 항을 선택해주는 구실을 하는 말.

- 禮與其奢也 寧儉 : 예는 그 사치하기보다는 차라리 검소해야 한다.
- 寧信度 無自信也 : 차라리 자를 믿을지언정 자신을 믿지 않는다.
- 必報仇 吾寧事齊楚 : 반드시 원수를 갚기보다는 우리는 차라리 제나라와 초나라를 섬기겠다.

3) 순접접속사

則, 卽, 而, 然則, 故, 乃 등과 같이 앞뒤의 말을 차례로 이어주는 구실을 하는 말.

- 思則得之 不思則不得也 : 생각하면 사물을 이해하고 생각하지 못하면 이해하지 못한다.
- 虎不知獸畏己而走也 : 호랑이는 짐승들이 자기를 두려워해서 달아난 것을 알지 못했다.

4) 역접접속사

然, 而, 抑 등과 같이 앞의 내용과 상대되는 내용을 접속시켜 주는 역할을 하는 말.

- 人不知而不慍 不亦君子乎 : 남이 알아주지 않아도 성내지 않으면 또한 군자가 아니겠는가!

- 至於今日 然志猶未已 : 오늘에 이르렀다. 그러나 나의 뜻은 여전히 없어지지 않았다.

5) 가정접속사

若, 如, 假, 苟, 雖, 設令 등과 같이 가상 상태를 유발해주는 역할을 하는 말.
- 秋則日短夜長 : 가을이 되면 낮이 짧고 밤이 길어진다.
- 苟非吾之所有 雖一毫而莫取 : 진실로 나의 소유가 아니라면 비록 한 개의 터럭이라도 취해서는 안 된다.

6) 첨가접속사

又, 且, 而 등과 같이 이미 있는 것에 더 첨가해주는 역할을 하는 말.
- 日新又日新 : 나날이 새롭게 하며 또 날로 새롭게 한다.
- 士不可以不弘毅 任重而道遠 : 선비는 반드시 넓고 꿋꿋해야 한다. 임무가 무겁고 갈 길이 멀어서다.

7) 인과접속사

故, 以, 是以, 因, 是故 등과 같이 원인과 결과를 나타내는 말.
- 是以見放 : 이런 까닭으로 추방을 당했다.
- 虎以爲然 故遂與之行 : 호랑이가 그렇다고 여겼기 때문에 드디어 그와 함께 갔다.

8. 개사

한문 문장의 체언이나 용언 전후에 붙여 그것들의 시간, 장소, 원인 등의 관계를 표시해주는 말로, 앞에 놓이는 것을 前置詞, 뒤에 놓이는 것을 後置詞라고 부른다.

1) 전치사

전치사는 '~에, ~에서, ~로, ~와(과), ~보다' 등으로 해석되는 於, 于, 乎 등의 本來前置詞와 以(~으로서(써), ~ 때문에), 爲(~때문에, ~을 위하여, ~까닭에), '~부터'로 해석되는 自, 從, 由, 與(~와), 至(~까지) 등의 轉成 前置詞가 있다.

① 시간관계 전치사 : 시간관계 전치사에는 於, 于, 乎, 自, 以, 由, 從, 來 등이 있다.
- 試用於昔日 : 옛날에 시험 삼아 등용했다.
- 積于今六十歲矣 : 지금까지 60년이 되었다.
- 奉命於危難之間 : 나라가 위태롭고 혼란한 때에 명을 받들다.
- 自李唐來 世人甚愛牧丹 : 당나라 이래로 세상 사람들은 모란을 매우 사랑하였다.

② 장소관계 전치사 : 장소관계 전치사는 동작의 소재, 관계, 기점, 도착 지점이나 방향을 나타내는 것으로 於, 于, 乎, 自, 由, 從, 至 등이 있다.
- 貧者自南海還 : 가난한 자는 남해로부터 돌아왔다.
- 血流至足 : 피가 흘러 발에 이르렀다.
- 葬於江魚之腹中 : 강 물고기의 배 안에 장사 지내다.
- 李舜臣 大破賊于露梁 : 이순신이 노량에서 적군을 크게 쳐부수었다.

③ 목적관계 전치사 : 목적관계 전치사의 뒤에 오는 동사가 행동의 목적으로 사용되는 것으로 爲, 與 등이 있다
- 吾嘗爲鮑叔謀事 : 내가 일찍이 포숙을 위하여 일을 도모하였다.
- 今子與我取之而不與我治之 : 지금 너는 나를 위하여 국가를 취하였으나 오히려 나를 위하여 다스리지는 않는다.

④ 대상관계 전치사 : 대상관계 전치사는 동작의 행위와 관계가 있는 대상을 나타내는 것으로, 於, 于, 乎, 以, 爲, 因, 與 등이 있다.

- 惑問乎曾西曰 : 어떤 사람이 증서에게 물었다.
- 于時與亮情好日密 : 이로부터 제갈량과 관계가 나날이 좋아졌다.
- 君子 戒愼乎其所不睹 : 군자는 보이지 않는 바에도 경계하고 삼가야 한다.
- 常祈于桓雄願化爲人 : 항상 환웅에게 기도하여 사람 되기를 원하였다.

⑤ 방향관계 전치사 : 방향관계 전치사는 전치사의 결구가 동사의 상태나 묘사에 대하여 어떤 특정한 방향이 됨을 뜻하며, 向 등이 있다.
- 身向長安獨身去 : 몸은 장안 향하여 홀로 떠나가는구나!
- 哭向懸門呼穹蒼 : 현문으로 달려가 통곡하다 하늘 보고 울부짖네.

⑥ 원인관계 전치사 : 원인관계 전치사는 전치사의 결구가 사건이나 행위의 원인이 되는 경우를 뜻하는데 以, 爲, 由, 於, 因 등이 있다.
- 孫臏以此名顯天下 : 손빈이 이 때문에 이름이 천하에 드러났다.
- 何以附耳相語 : 무엇 때문에 귀에 대고 말하는가.
- 而吾以捕蛇獨存 : 그러나 나는 뱀을 잡을 수 있었기 때문에 혼자 살 수 있었다.

⑦ 비교관계 전치사 : 비교관계 전치사는 전치사의 결구가 비교하거나 구별하는 대상을 나타내며 於, 于, 乎, 與가 쓰인다.
- 靑出於藍而靑於藍 : 파란 색은 쪽풀에서 나왔으나 쪽풀보다 푸르다.
- 氷水爲之而寒于水 : 얼음이 물이 되는 것이지만 물보다 차다.
- 生乎吾前 其聞道也 固先乎吾 吾從而師之 : 나보다 먼저 태어나서 그 도를 들음이 진실로 나보다 먼저라면 나는 좇아가 그를 스승으로 섬기겠다.

⑧ 피동관계 전치사 : 피동관계 전치사는 목적어의 자리에 있어야 할 대상이 주어가 되어서 남의 동작이나 행동을 입게 되는 것을 말하는데 於, 于, 乎 등이 쓰인다.

- 吾嘗三仕三見逐於君 : 내가 일찍이 세 번 벼슬길에 올랐다가 세 번 왕에게 추방을 당하였다.
- 季子之見侮於其嫂 買臣之見棄於其妻 : 계자가 그의 형수에게 모욕을 당하고, 매신이 그의 아내에게 버림을 받다.

2) 후치사

후치사는 체언이나 구 뒤에 붙어서 '~의, ~은(는), ~한'의 뜻을 가지는 본래후치사 之와 者, 也 등의 전성후치사가 있다.

① 주격 후치사 : 주어가 그 문장 안에서 주인임을 나타내는 것으로 之와 者가 쓰인다.
- 北山愚公者 年且九十 : 북쪽 산의 우공은 나이가 머지않아 아흔이 된다.
- 道之所存 師之所存 : 도가 있는 곳이 스승이 있는 곳이다.
- 臣見大王之必傷義而不得 : 신이 예견하기에 대왕은 반드시 의리를 잃어서 (송나라를) 얻지 못할 것입니다.

② 관형격 후치사 : 체언과 체언 사이에 놓여 앞의 체언을 수식어로 만드는 역할을 하는 것으로 之가 있다.
- 三世之習 至于八十 : 세살 때의 버릇 여든까지 간다.
- 君子之交淡若水 小人之交甘若醴 : 군자의 사귐은 맑기가 물과 같고, 소인의 사귐은 달기가 단술과 같다.

③ 강조 후치사 : 문장의 어느 부분을 강조하여, 나타내고자 하는 의도를 더욱 강하게 표현해 주는 역할을 하는 것으로 也, 乎, 哉 등이 있다.
- 是日也放聲大哭 : 바로 이 날에 소리 놓아 크게 울다.
- 參乎 吾道一以貫之 : 삼아! 나의 도는 하나로 꿰뚫을 수 있느니라.

9. 종결사

절이나 문장이 끝났음을 나타내는 것으로 敍述, 疑問, 反語, 感歎, 命令, 限定의 유형으로 구분할 수 있다.

1) 서술

판단, 해석, 의지를 나타내는 구실을 하는 것으로 也, 矣, 焉 등이 있다.
- 朝聞道夕死可<u>矣</u> : 아침에 도를 들으면, 저녁에 죽어도 족하다.
- 智仁勇三者 天下之達德<u>也</u> : 지혜와 인, 용기 이 셋은 천하의 통달한 덕이다.
- 君子之過也 如日月之食<u>焉</u> : 군자의 허물은 일식이나 월식과 같다.

2) 의문

시비, 선택, 추측의 의문을 나타내는 것으로, 乎, 與, 耶, 諸 등이 쓰인다.
- 仁遠<u>乎</u>哉 : 인은 멀리 떨어져 있는 것일까?
- 君子人<u>與</u> 君子人也 : 군자다운 사람인가? 군자다운 사람이다.
- 陣司敗問 昭王知禮<u>乎</u> 孔子曰知禮 : 진나라의 사패가 "소왕은 예를 알았을까요?" 하고 묻자, 공자께서 "예를 알았소." 하고 대답하셨다.

3) 반어

어떤 사실을 확인, 강조하기 위하여 주로 의문사와 호응하여 반어적(反語的)인 형식을 취한 것으로 乎, 哉, 與, 乎哉 등이 쓰인다.
- 王侯將相 寧有種<u>乎</u> : 왕후장상이 어찌 종자가 있겠는가?
- 禮云禮云玉帛云<u>乎哉</u> : 예라 예라 말함은 구슬과 비단을 가리키는 가?

4) 감탄

감탄의 기분을 나타내는 것으로 乎, 哉, 夫, 與, 矣乎, 也哉 등이 쓰인다.

- 子在陳曰 歸與歸與 : 공자가 진나라에서 말하기를 "돌아가자, 돌아가자!" 했다.
- 快哉 此風 : 정말 상쾌하구나! 이 바람은.
- 天乎 吾無罪 : 하늘이시여! 저는 죄가 없습니다.
- 周監於二代 郁郁乎文哉 : 주(周)는 2대(夏, 商)를 본받았으니 빛나도다! 예의 문물이여!

5) 명령

말하는 이가 듣는 이에게 직접 동작이나 행위를 요구하는 것으로 서술성분에 也, 乎 등이 붙어서 명령의 語氣를 나타내는 것이다.
- 姑反國統萬人乎 : 잠시 나라로 돌아와 만백성을 통솔하십시오.
- 王如知此 則無望民之多於隣國也 : 왕이 만약 이것을 아신다면 백성이 이웃나라보다 많아지기를 바라지 마십시오.

6) 한정

정도나 분량을 한정하는 뜻을 나타내는 것으로 已, 耳, 爾, 而已矣, 而已 등이 있다.
- 我知種樹而已 : 나는 나무 심는 것을 알뿐이다.
- 夫子之道 忠恕而已矣 : 선생님의 도는 충직과 관용일 뿐이다.

10. 감탄사

주관적 감정이나 의지를 개념화하지 않고 그대로 나타내는 말로 乎, 哉 夫, 意, 甚矣哉, 嗟呼, 噫, 哀哉, 嗚呼 등이 쓰인다.
- 噫 天喪予 : 아! 하늘이 나를 버리시는구나.
- 嗟呼 燕雀安知鴻鵠之志哉 : 아! 소인이 어찌 군자의 뜻을 알겠는가?
- 嗚呼 國恥民辱乃至於此 : 아! 나라의 치욕과 백성의 욕됨이 이에 여기에 이르렀구나.

한문의 성분

문장성분이란 문장을 이루는 각 부분으로, 단어나 句가 각기 문장에서 행하는 구실을 의미한다. 한문에서는 문장성분으로 主語, 敍述語, 目的語, 補語, 副詞語, 冠形語, 獨立語가 있다.

1. 주어

문장에서 主體가 되는 말로, 명사, 대명사, 수사가 주가 되며, 동사, 형용사도 주어가 될 수 있다.
- 花開 : 꽃이 피다.
- 骨氣像父 : 체격은 아버지를 닮는다.
- 良藥苦於口 : 좋은 약은 입에 쓰다.
- 李舜臣名將也 : 이순신은 이름난 장수이다.

2. 서술어

문장 안에서 주체가 되는 말의 동작, 성질, 상태 등을 서술하는 말로, 동사, 형용사, 명사 등이 서술어가 될 수 있다.
- 鳥鳴 : 새가 울다.
- 女子出嫁 : 여자는 시집을 간다.
- 風光美麗 : 경치가 아름답다.
- 聖人百世之師也 : 성인은 영원한 스승이다.

3. 목적어

문장에서 서술어의 대상이 되는 말로, 명사, 대명사, 수사가 주가 되며 동사, 형용사의 명사형도 목적어가 될 수 있다.

- 懷橘 : 귤을 품다.
- 泣斬馬謖 : 울면서 마속을 벤다.
- 其利斷金 : 날카로움이 쇠를 자른다.
- 男兒須讀五車書 : 남자는 모름지기 다섯 수레의 책을 읽어야 한다.

4. 보어

문장에서 서술어의 의미를 보충하는 말로, 결과, 출발, 대상, 장소, 시간, 비교 등을 나타낸다. 명사, 대명사, 수사가 주가 되며, 동사, 형용사의 명사형도 보어가 될 수 있다.

- 入學 : 학교에 들어가다.
- 立庭前 : 뜰 앞에 서다.
- 命在頃刻 : 목숨이 경각에 달렸다.
- 山不能及天 : 산은 하늘에 닿을 수 없다.

5. 부사어

문장에서 주로 서술어, 부사어, 관형어 앞에서 그 의미를 자세히 설명하거나 한정하는 구실을 한다.

- 疾走 : 빨리 달린다.
- 鳥自啼 : 새가 스스로 운다.
- 情好日密 : 서로 간의 정이 날마다 밀접해진다.
- 先王親敎農事於庶民 : 선왕이 농사일을 서민들에게 친히 가르쳤다.

6. 관형어

문장에서 주로 주어, 목적어, 보어 앞에서 그 의미를 자세히 설명하는
구실을 한다.
- 靑山 : 푸른 산
- 纖纖玉手 : 가냘프고 고운 옥과 같은 여자의 손
- 三遷之敎 : 세 번 이사한 가르침
- 父母之恩如大海: 부모의 은혜는 큰 바다와 같다.

7. 독립어

문장 안에서 다른 성분과는 비교적 독립하여 감동, 응답, 호칭 등을 나
타내는 구실을 한다.
- 噫 天喪予 : 아, 하늘이 나를 버리는구나!
- 惜乎 不遇時 : 아깝다! 때를 만나지 못함이여!

한문의 구조

1. 주술 구조

주술 구조는 '주어 +서술어'로 이루어진 형태로 한문의 기본이 되는 구조이다. 보통 이 기본문장들의 경우 '~가 ~이다', '~이 ~하다'로 해석된다.

1) 명사 + 동사 (형용사)

- 年長 : 나이가 많다.　　山高 : 산이 높다.
- 花開 : 꽃이 피다.　　　月出 : 달이 뜨다.
- 葉落 : 잎이 떨어지다.　海溢 : 바다가 넘치다.
- 日沒 : 해가 지다.　　　藥苦 : 약이 쓰다.

2) 명사 + 명사 (是가 생략된 형태)

- 孔子聖人: 공자는 성인이다.
- 諸葛孔明忠臣 : 제갈공명은 충신이다.

2. 술목 구조

술목 구조는 '서술어 + 목적어'로 이루어진 형태로 '~하다 ~을(를)'로 직역된다. 이러한 술목구조는 우리말 어순과 다른 구조로 이루어져 있으며, 우리말로 해석할 때 서술어 성분을 가장 마지막에 해석한다.

- 讀書: [읽다 책을] ⇒ 책을 읽다.
- 呼名: [부르다 이름을] ⇒ 이름을 부르다.
- 敬老: [공경하다 노인을] ⇒ 노인을 공경하다.

- 事親: [섬기다 부모를] ⇒ 부모를 섬기다.
- 卒業: [마치다 학업을] ⇒ 학업을 마치다.
- 修身: [닦다 몸을] ⇒ 몸을 닦다.

3. 술보 구조

술보 구조는 '서술어 + 보어'로 이루어진 형태이다. 이 구조 역시 술목 구조와 같이, 우리말 어순과 다른 형태의 문형을 지니고 있는 구조이다. 술목구조와 마찬가지로 우리말로 해석할 때 서술어 성분을 가장 마지막에 해석해야 한다.
- 易老: [쉽다 늙기가] ⇒ 늙기 쉽다.
- 有信: [있다 믿음이] ⇒ 믿음이 있다.
- 無患: [없다 근심이] ⇒ 근심이 없다.
- 登山: [오르다 산에] ⇒ 산에 오르다.
- 如海: [같다 바다와] ⇒ 바다와 같다.

4. 수식 구조

수식 구조란 앞에 나오는 수식어와, 수식어의 꾸밈을 받는 피수식어로 이루어진 구조를 뜻한다. 이는 보통 체언과 체언, 관형어와 체언으로 이루어진다. 또 부사어가 용언을 꾸미는 경우가 있다.

① 형용사 + 명사 : '관형어 + 체언'으로 이루어지며 우리말로 풀이할 때 두 단어 사이에 '~하는~, ~인~' 등을 넣는다.
- 明月 : 밝은 달　　　　孤鶯 : 외로운 꾀꼬리
- 白水 : 흰 색의 물　　　亂蟬 : 요란한 매미
- 老人 : 늙은 사람　　　紅葉 : 붉은 나뭇잎

② 명사 + 명사 : '체언 + 체언'으로 이루어지며 우리말로 풀이할 때 두 단어 사이에 '~의~'를 넣는다.

- 國土 : 나라의 땅   池柳 : 못의 버들
- 人名 : 사람의 이름   雪色 : 눈의 색깔
- 風聲 : 바람의 소리   夜煙 : 밤의 연기

③ 부사어 + 용언 : 부사어가 용언을 한정한 경우로 우리말로 풀이할 때 한문의 어순과 같이 읽으면 된다.

- 卽來 : 즉시 오다.   必去 : 반드시 가다.
- 何知 : 어찌 아는가.   飽食 : 배불리 먹다.

한문의 기본 문형

한문 문장은 다양한 형식으로 나타나고 있는데, 그 표현 방법에 따라 나눈 것을 文章의 形式이라고 한다. 한문의 기본 구조 속에서 특정한 글자가 주로 사용되어 여러 가지 문장의 형식을 결정하게 된다. 따라서 각 문장의 형식을 결정하는 특정 글자를 중심으로 문장을 이해하면 쉽게 문형을 파악할 수 있다.

1. 평서문

평서문은 문장의 기본 형식으로, 어떤 사실을 단정·지정하는 文型이다. 또한 평서문은 한문의 기본적인 어순을 그대로 지킨 문장인데, 부정문과 구별하여 肯定文이라고도 한다.

- 上有天焉 : 위로는 하늘이 있다.
- 古道少人行 : 옛 길에는 다니는 이가 적다.
- 得道者多助 : 도의에 부합된 사람에게는 도와주는 사람이 많다.
- 月上無雲天 : 달이 구름 없는 하늘에 떠오른다.
- 忠臣不事二君 : 충신은 두 임금을 섬기지 않는다.
- 二人同心 其利斷金 : 두 사람이 마음을 합치면 그 날카로움이 쇠를 끊는다.
- 得天下英才而敎育之 : 천하의 영재를 얻어 그를 가르친다.
- 水光接天 白露橫江 : 물빛은 하늘에 접하고 흰 이슬이 강을 가로 질렀다.

2. 부정문

1) 단순부정

'不, 弗' 등은 술어를 부정한다. '未'도 술어를 부정하지만, '아직 ~하지 않다'로 풀이된다. 이들 글자는 '可, 能, 得, 足' 등의 조동사와 함께 쓰일 때도 많다. 또 '莫'은 술어 앞에 쓰이며, '아무도 ~하지 못하다'로 풀이된다. 이에 비해 '非'는 명사나 이에 상응하는 구나 절을 부정하여 '~이 아니다'로 풀이되며, '無'는 명사나 명사구, 명사절 앞에서 '~이 없다'로 풀이된다.

- 仁者不憂 : 어진 사람은 근심하지 않는다.
- 秋林無靑葉 : 가을 숲에는 푸른 잎이 없다.
- 是非君子之道 : 이것은 군자의 도가 아니다.
- 孤花不能待蝶 : 홀로 핀 꽃은 나비를 기대할 수 없다.
- 見義不爲 無勇也 : 의를 보고 행동하지 않으면 용기가 없는 것이다.
- 學樂與爲學 無異矣 : 음악을 배우는 것과 학문을 하는 것은 다른 것이 없다.

2) 이중부정

부정을 나타내는 글자가 거듭해서 나오면 강한 긍정의 뜻이 된다. '無不', '莫不', '莫非', '非無' 등이 그러한 예다. 이들은 각기 '~하지 아니함이 없다', '~하지 아니하지 않다', '~가 아님이 없다', '~가 없는 것은 아니다' 등으로 풀이된다. 이러한 이중부정을 나타내는 글자 사이에 '可, 嘗, 必, 敢' 등의 부사나 조동사가 붙기도 한다. '不可不, 不得不'은 모두 '반드시'의 뜻이 된다.

- 無所不爲 : 하지 않는 것이 없다.
- 城非不高也 : 성이 높지 않은 것이 아니다.
- 人莫不飮食也 : 사람은 먹고 마시지 않음이 없다.
- 非無忠良之臣 : 충성스런 신하가 없는 것이 아니다.
- 不爲也 非不能也 : 하지 않는 것이오, 할 수 없는 것이 아니다.
- 吾矛之利 於物無不陷也 : 내 창의 날카로움은 물건을 뚫지 못한 것

이 없다.

3) 부분부정과 완전부정

부정문은 부정을 나타내는 글자와 부사의 위치에 따라 뜻이 달라진다. 대체로 부사가 부정을 나타내는 글자 다음에 오면 부분부정이 되고, 부정을 나타내는 글자 앞에 오면 완전부정으로 풀이된다. '不必'은 부분부정으로 '반드시 ~한 것은 아니다.'로 풀이되어 때에 따라서는 그렇게 될 수도 있음을 뜻한다. 그러나 '必不'은 '반드시 ~하지 않는다.'는 완전부정의 뜻이 된다.

① 부분부정 (부정사 + 必, 常 + 서술어) : '~한 것은 아니다.'
- 鳥非必在山 : 새가 반드시 산에 있는 것은 아니다.
- 勇者 不必有仁 : 용감한 사람에게 반드시 인이 있는 것은 아니다.
- 家貧 不常得油 : 집안이 가난하여 항상 기름을 얻지는 못한다.
- 師不必賢於弟子 : 스승이 반드시 제자보다 현명한 것은 아니다.

② 완전부정 (必, 常 + 부정사 + 서술어) : '~반드시, 항상 ~하지 않는다, 없다.'
- 鳳鳥必不食死肉: 봉황새는 반드시 죽은 고기는 먹지 않는다.
- 能者 常不削自髮: 능력 있는 자라도 항상 자신의 머리를 깎을 수는 없다.

4) 금지

금지보조사가 사용되어야 금지문이 성립되는데, 금지사는 주로 문장 앞에 사용되고 서술어 앞에 놓인다. 대표적인 금지보조사로 '勿, 無, 不' 등이 있는데 이 단어들은 모두 '~하지 마라, ~말라'의 뜻을 지닌다.
- 過則勿憚改 : 허물이 있으면 고치기를 꺼리지 말라.
- 無友不如己者 : 자기만 못한 사람과는 사귀지 말라.
- 不患人之不己知 : 남이 자신을 알아주지 않는 것을 근심하지 말라.
- 己所不欲 勿施於人 : 자기가 하고자 하지 않는 것을 남에게 베풀지

말라.

- 臨財毋苟得 臨難毋苟免 : 재물에 임해서도 구차하게 얻으려고 하지 말고, 재난을 당하더라도 마음대로 달아나려고 하지 말라.

3. 의문문

의문문의 일반적인 구조는 문장 앞에 의문사가 위치하고 문장 끝에 의 문종결사가 위치한다. 反語文과의 구별에 유의해야 한다.

① 의문종결사 사용 : '乎, 與, 歟' 등의 의문종결사를 어미에 붙이는 형식이다. 특히 '乎'와 '哉'는 일반적인 의문문 뒤에 붙을 때가 많으 며, '與, 歟' 등은 선택, 가부를 물을 때 자주 사용된다.
- 子見夫子乎 : 그대는 선생님을 보았는가?
- 漢已皆得楚乎 : 한나라가 이미 초나라를 얻었는가?
- 朝三而暮四足乎 : 아침에 세 개를 주고 저녁에 네 개를 주면 충분한 가?
- 爲人謀而不忠乎 : 남을 위하여 도모함에 충심을 다하지 않았는가?
- 天下治歟 不治歟 : 천하가 다스려졌는가? 다스려지지 않았는가?

② 의문대명사 사용 : 의문대명사에는 대체로 '誰, 孰, 安' 등이 있다.
- 漢陽中 誰最富 : 한양 중에 누가 가장 부자인가?
- 禮與食 孰重 : 예와 음식 중에 무엇이 중요한가?
- 子將安之 : 그대는 장차 어디로 가려는가?

③ 의문부사 사용 : '何, 安 + 명사'의 구조로 보통 '何如, 如何, 奈何' 등이 주로 쓰인다.
- 何日是歸年 : 어느 날이 돌아갈 때인가?
- 何以利吾國 : 우리나라에 어떠한 이익이 있겠습니까?
- 以子之矛 陷子之盾 何如 : 그대의 창으로 그대의 방패를 찌르면 어떠한 가?

- 不能何正以其附身耳 如正人何 : 그 자신에게 붙은 것도 어떻게 바로 잡지 못하면서 남은 어떻게 바로잡겠는가?

④ 기타 특수한 의문의 형식 : 문장의 끝에 '不, 未' 등이 있으면 '~인지, 아닌지'로 풀이된다. 또 '多少'도 의문부사처럼 '얼마나'의 뜻으로 쓰일 때가 있다.
- 視我舌 尙在不 : 나의 혀를 보라. 아직도 있는가?
- 寒梅着花未 : 추울 때 피는 매화에 꽃 아직이던가?
- 花落知多少 : 꽃이 얼마나 떨어졌는지 아는가?

4. 명령문

1) 명령

명령문은 대부분 문맥으로 파악할 뿐 명령의 助字가 따로 붙지 않을 때가 많다. 다만 其 등의 語氣詞가 붙기도 하는데, 이때 其는 명령의 語氣만 나타낼 뿐 뜻은 없다.
- 王曰 來 : 왕이 이르기를 "오너라."
- 先生待我於江之南 : 선생은 강의 남쪽에서 나를 기다리시오.
- 子其勉之 : 그대는 힘쓰라.

2) 요구와 권고

요구나 권고를 할 때, 請, 願, 幸 등의 부사와 함께 쓰여 '청컨대', '원컨대', '바라건대' 등으로 풀이된다. 庶幾는 희망을 나타내는 말이며, 唯는 '오직 ~하기만 하라'는 뜻으로 풀이된다. 그 밖에 可나 可以 등의 조동사를 써서 허락의 뜻을 나타내기도 한다.
- 唯將軍令之 : 장군만이 그에게 명할 수 있다.
- 請看天王峰 : 천왕봉을 보십시오.
- 願大王急渡 : 대왕께서는 급히 강을 건너소서.
- 王庶幾改之 : 왕이 아마 고칠 것입니다.

- 幸爲我呼吾君 : 나를 위하여 우리 임금을 불러주소서.

5. 반어문

반어문은 반어의 의미를 지닌 문장으로 의문문과 비슷한 형식이지만 의문이 아닌 강한 강조를 의미하는 문장이다. 의문사 뒤에 명사가 오면 의문문이고 서술어가 오면 반어문이 되는 경우가 많다. 반어문은 대체로 '의문부사 + 서술어 + (목적어) + 종결사'의 구조를 지닌다. 의문부사로 '安, 焉, 盍(何不)' 등이 있는데 이것은 모두 '어찌'라는 뜻으로 해석된다.

- 晉吾宗也 豈害我哉 : 진나라는 나의 친척과도 같은데, 어찌 나를 해치겠는가?
- 割鷄 焉用牛刀 : 닭을 잡는데 어찌 소 잡는 칼을 쓰리오?
- 盍往歸焉 : 어찌 돌아가지 않겠는가?
- 燕雀 安知鴻鵠之志哉 : 제비와 참새가 어찌 기러기와 고니의 뜻을 알겠는가?
- 不入虎穴 安得虎子 : 호랑이 굴에 들어가지 않는다면 어찌 호랑이 새끼를 얻겠는가?

6. 억양문

억양문은 '하물며 ~이랴?'는 뜻을 지닌 문장이다. '況 ~ 乎' 구문으로 만들어진다.

- 死馬且買之 況生者乎 : 죽은 말도 또한 사는데 하물며 산 것에 있어서랴?
- 死且不避 況斷手乎 : 죽음 또한 피하지 않는데 하물며 손을 자르는 것이랴?

7. 비교문

비교문은 전치사로 쓰이는 어조사 '於, 乎'나 비교형용사 '如, 若'로 이루어지거나 '與其 ~ 寧'과 같은 호응관계로 이루어진 문장으로 비교의 뜻을 지닌다. 어조사나 비교형용사는 각각 별도의 다른 쓰임이 있는 경우가 있기 때문에 사용에 주의해야 한다. 일반적 구조는 '주어+서술어(형용사)+於+보어'이고 이 때 전치사들은 '~보다'나 '~와'로 해석된다.

1) 비교형용사 '如, 若'와 부정사 '不, 莫' 사용

① 동등비교 (A + 如·若 + B) : A는 B와 같다.
- 學問如逆水行舟 : 학문은 물을 거슬러 배를 운행하는 것과 같다.
- 君子之交 淡若水 : 군자의 사귐은 담박하기가 물과 같다.

② 비교급 (A + 不如·不若 + B) : A는 B만 같지 못하다.
- 百聞不如一見 : 백 번 듣는 것이 한 번 보는 것만 같지 못하다.
- 天時不如地利 : 天時가 地利만 같지 못하다.
- 不若投諸江而忘之 : 강에 던져서 그것을 잊는 것만 같지 못하다.

③ 최상급 (A + 莫如·莫若 + B) : A는 B만 같은 것이 없다.
　　　　　　(A + 莫 + 서술어 + 於 + B) : A는 B보다 ~한 것이 없다.
- 知臣莫若君 : 신하를 아는 것은 임금만 같음이 없다.
- 過莫大於從己之欲 : 허물은 자신의 욕심을 따르는 것보다 큰 것이 없다.
- 莫見於隱 莫顯於微 : 감추는 것보다 더 잘 보이는 것이 없고, 미세한 것보다 더 잘 드러나는 것이 없다.

2) 선택적 비교

'~與其 ~寧, 與其 ~不若, 與其 ~孰若' 등을 사용한다. '~하기보다는 차라리 ~하는 것이 낫다.'로 해석된다.

- 禮與其奢也寧儉 : 예는 사치스럽기보다는 차라리 검소한 것이 낫다.
- 與其生辱 不如死快 : 살아서 욕되기보다는 차라리 죽어서 유쾌한 것이 낫다.
- 與其有樂於身 孰若無憂於其心 : 육신에 즐거움이 있기보다는 차라리 그 마음에 근심이 없는 것이 낫다.

3) 유의 숙어

'寧 + A, 不·勿·毋 + B' : 차라리 A할지언정, B하지 말라.
- 寧爲鷄口 勿爲牛後 : 차라리 닭의 부리가 될지언정 소의 꼬리는 되지 말라.

8. 가정문

條件이나 假定을 의미하는 앞 구절과 結果를 의미하는 뒷 구절의 결합으로 이루어진 문장이다. 가정문은 대체로 서술어 성분 앞에 가정부사 '如, 若' 등이 놓이고, 뒤에 접속사 '則'이 놓이는 구조로 이루어져 있다. 즉, '如 + 서술어 + ~, 則 + 서술어 + ~'의 구조로 나타낼 수 있다.

1) 가정부사 사용

若, 苟, 雖 등의 가정부사를 사용한다.
- 春若不耕 秋無所望 : 봄에 만약 밭 갈지 않으면 가을에 바랄 것이 없다.
- 苟正其身 於政乎何有 : 진실로 그 몸을 바르게 하면 정치에 있어서 무슨 어려움이 있겠는가?
- 苟非吾之所有 雖一毫而莫取 : 진실로 나의 것이 아니라면 비록 하나의 터럭이라도 취하지 말라.
- 心誠求之 雖不中不遠 : 마음에서 진실로 그것을 구한다면 비록 적중하지 않더라도 멀리 떨어지지는 않을 것이다.

2) 접속사 사용

접속사 則을 사용하여 '~한다면, ~한다'는 구조로 나타난다.

- 飮則醉 : 마시면 취한다.
- 欲速則不達 : 빨리 이루려고 하면 도달하지 못한다.
- 見小利 則大事不成 : 작은 이익을 보면 큰일을 이루지 못한다.
- 先則制人 後則制於人 : 앞장서면 남을 제압하고, 뒤처지면 남에게 제압을 당한다.

9. 감탄문

감탄문에는 감탄사를 사용하는 형식과 감탄종결사를 문두에 두는, 두 가지 형식이 있다.

1) 감탄사 사용

'嗚呼, 噫' 등을 사용하여 '아~!' 라는 뜻을 나타낸다.

- 意 甚矣哉 其無愧而不知恥也甚矣 : 아! 심하도다! 그들은 부끄러움이 없고 수치도 모르는 것이 심하구나!
- 嗚呼 孰知賦斂之毒有甚是蛇者乎 : 아! 누가 조세를 징수하는 해독이 이 독사보다 심함을 알겠는가!

2) 감탄종결사 사용

'夫, 與, 哉' 등을 사용하여 '~로다, ~구나.'라는 뜻으로 해석된다.

- 逝者 如斯夫 不舍晝夜 : 흘러가는 것이 이와 같구나. 밤낮을 쉬지 않네.
- 管仲之器 小哉 : 관중의 그릇됨이 작구나.
- 仁者 亦樂是夫 : 인자 또한 그것을 좋아합니까.
- 孝弟也者, 其爲仁之本與 : 효제는 인의 근본이 되도다.

허사의 용법

한문의 기본적인 구조는 원칙적으로 어떤 개념을 나타내는 實詞로 이루어지지만 어법 관계나 문장을 더욱 명백하게 하기 위해서는 虛詞를 사용한다. 허사 없이도 한문은 이루어지나 허사를 사용하면 문장의 뜻이 더 분명해진다. 허사는 어떤 개념을 나타내는 뜻이 없어 그 글자 단독으로 쓰이지 않고, 다른 實詞를 도와주는 역할을 한다. 우리말의 助詞나 영어의 전치사·접속사·감탄사 등이 이와 같다고 볼 수 있다.

1. 可 可否처럼 '옳다'의 뜻으로 쓰이고, 조동사로 사용될 때는 허가, 가능, 당위의 의미로 사용된다.

① ~할 수 있다(가능) : 身病可醫 心病難醫
② ~해야 한다(당위) : 故可因遂築宮室
③ 대략 : 飮可五六斗

2. 見 일반적으로 '보다'의 뜻으로 '견'이라고 읽지만, '뵙다, 나타나다'라는 뜻으로 쓰일 때는 '현'이라 읽는다. 때로는 '당하다'라는 피동의 의미로도 쓰인다.

① 보다(동사) : 見物生心
② 당하다(피동사) : 是以見放
③ 뵙다(동사) : 孟子見梁惠王
④ 나타나다(동사) : 才美不外見

3. 更　甲午年(1894)에 있었던 甲午更張에서처럼 '고치다'의 뜻일 경우 '경'으로 읽고, 更生에서처럼 '다시'라는 의미로 쓰이거나 '더욱'이라는 부사로 쓰일 때는 '갱'으로 읽는다. 이 외에 시간을 나타내는 말, 부사 '더욱'의 의미로도 쓰이는데, 이 때에는 모두 '경'으로 읽는다.

① 고치다(동사) : 變更, 甲午更張
② 다시(부사) : 更上二層樓
③ 시간(명사) : 三更
④ 더욱(부사) : 更窮困
⑤ ~하면 할수록 : 更行更遠還生

4. 苟　주로 부사로 쓰이지만, 가정의 의도를 지닌 '진실로' 또는 '구차하게'라는 뜻을 갖는다.

① 진실로(조건 가정) : 苟非吾之所有 雖一毫而莫取
② 구차하게(부사) : 苟全性命於亂世
③ 잠시, 잠깐 : 苟自救也

5. 其　일반적으로 '그'라는 뜻의 대명사로 사용되지만 추측, 반문 등의 어조사로도 활용된다.

① 그, 그녀 : 其人弗能應也
② ~인가 : 若之何其
③ 진실로, 또한 : 吾子其無廢先王之功
④ 장차, 막 ~하려 하다 : 必有凶年 人其流離

5. 能　일반적으로 능력이라는 뜻으로 쓰이지만 조동사로 사용되어 '~할 수 있다'는 의미로 쓰인다. 그리고 동사로 及[미치다]의 뜻으로 쓰이기도 한다.

① 능력 : 無能不官 無功不賞
② ~할 수 있다 : 五者備矣 然後能事親
③ 미치다 : 於是不能期年 千里馬之至者三

6. 得　대부분 '얻다'의 뜻으로 쓰이나, 문장에서 '~할 수 있다'는 뜻
　　　　의 '可(가)'처럼 가능을 나타내는 조동사 역할을 하기도 하며,
　　　　'이해하다'라는 의미로 쓰일 때도 있다.

① 얻다(동사) : 弟得黃金二錠
② 이해하다(동사) : 狙亦得公之心
③ 가능 조동사 : 不得伸其情者 多矣

7. 令　일반적으로 '명령'(명사), '~로 하여금 ~하게 하다'(동사)로 쓰이
　　　　지만, 때로는 '아름답다', 또는 '우두머리'의 뜻으로 쓰인다.

① 명령(명사) : 從父之令
② ~하게 하다(동사) : 賢婦令夫貴
③ 아름답다(형용사) : 聞王之令德
④ 우두머리(명사) : 縣令

8. 夫　대체로 '사내, 남편'을 뜻하지만, 문장에서 감탄 종결사, 대명
　　　　사, 아무 뜻 없는 발어사(發語詞)로 쓰이기도 한다.

① 사내, 남편(명사) : 壯夫, 夫婦
② 감탄종결사 : 仁夫, 公子重耳
③ 무릇(발어사) : 夫天地者 萬物之逆旅
④ 저(대명사) : 客亦知夫水與月乎

9. 是　是是非非처럼 대부분 '옳다'의 뜻으로 쓰이지만 대명사로 쓰일
　　　　때는 '이것'이 되고, 동사로 쓰일 때는 '~이다'의 뜻이 된다.

① 옳다 : 是非
② 이것 : 是乃吾憂也
③ ~이다 : 都是虛事

10. 惡 善惡의 악(惡)처럼 선(善)의 상대어로 쓰이는 경우가 많으나, 때로는 '미워하다'와 같은 형용사로, 또는 '아!, 오!'와 같은 감탄사로 쓰일 때도 있다.

① 악하다(형용사) : 人之性惡
② 미워하다 : 處衆人之所惡
③ 어찌 : 君子去人, 惡乎成名

11. 安 우리나라 사람들의 보편적 인사말인 安寧에서처럼 '편안하다' 라는 의미가 가장 널리 쓰이지만 문장에서 의문부사 '어찌', 의문대명사 '어디'로도 쓰인다.

① 편안하다(형용사) : 安寧, 便安
② 어찌(의문부사) : 安可違道求生
③ 어디(의문대명사) : 今安在哉

12. 也 주로 문장의 끝에 위치하며 종결사로 쓰인다.

① 종결사 : 皆帝王之具也
② 강조 : 是日也放聲大哭
③ ~때문이다 : 孟嘗君爲相數十年 無織介之禍者 馮諼之計也

13. 於 다양한 용법을 가진 전치사이다. 장소와 시간을 나타내기도 하고 방향과 대상을 나타내기도 한다. 그리고 비교형으로도 쓰인다.

① ~에(장소) : 憲令著於官府

② ~에(시간) : 立身行道 揚名於後世

③ ~에게(대상) : 哀公問社於宰我

④ ~보다(비교형) : 母儀先於父訓

14. 焉 '於之'의 合字로 대명사를 포함한 개사의 역할을 하는 것이 일반적인 쓰임이나 의문부사로 '어찌'의 뜻으로 또는 '단정 종결사'로 쓰이기도 한다.

① 그곳에(於之) : 心不在焉

② 어찌(의문부사) : 焉有仁人在位 罔民而可爲也

③ ~이다(단정 종결사) : 生而有好利焉

④ ~인가 : 肉食者謀之 又何間焉

15. 與 전치사로 '더불어'의 의미를 갖으며 그 쓰임이 다양하다. '주다, 참여하다, 찬성하다'의 동사의 역할과 단어와 단어를 이어주는 접속사, 문장의 끝에 붙어서 의문의 뜻을 나타내는 종결사, '함께'라는 뜻의 부사로도 쓰인다.

① 더불어(전치사) : 與民同樂

② 주다(동사) : 立與萬金

③ ~와(접속사) : 予與汝親舊也

④ 의문(종결사) : 是誰之過與

⑤ 함께(부사) : 王天下 不與存焉

⑥ 찬성하다, 참가하다(동사) : 與其進也 不與其退也

16. 爲 爲는 문장에서 '하다, 되다, ~이다, 삼다, 위하다, 여기다, 당하다' 등으로 풀이되면서 다양하게 서술어로 사용된다.

① 하다 : 讀書何爲

② 되다 : 爲父者當慈

③ ~이다 : 勤爲無價之寶

④ 삼다 : 以言行爲本

⑤ 위하다 : 吾爲子先行

⑥ 여기다 : 子以我爲不信

⑦ 당하다 : 身爲宋國笑

17. 有 유무처럼 일반적으로 '있다'로 쓰인다. 그러나 때로는 '어떤', 때로는 접속사인 '또한'의 뜻으로 쓰인다.

① 있다(형용사) : 海中有一島

② 어떤(부사) : 有處事過此路之際

③ 또한(접속사) : 吾十有五而志于學

18. 而 접속사로 문장의 중간에서 순접과 역접의 기능을 한다.

① 순접 : 男耕而女織

② 역접 : 人不知而不慍不亦君子乎

③ 너(汝) : 而忘越王之殺而父耶

19. 以 以처럼 많이 쓰이면서 그 용법이 다양한 한자도 드물다. 以는 대체로 전치사 '~로서(로써)'나 접속사 而와 같은 뜻으로 쓰인다.

① ~로써(전치사) : 以言行孝本

② 까닭(명사) : 良有以也

③ 방법(명사) : 人生斯世非學問無以爲人

④ ~을(전치사) : 諮臣以當世之事

⑤ ~에(전치사) : 以十月祭天

⑥ 그래서(접속사) : 設宴以樂

20. **已**   已는 종결사로 '~할 뿐이다, 따름이다'의 뜻으로 쓰인다. 그러
나 이미(부사), 그치다(동사)의 용법으로도 사용되는 경우가 많
다.

　　　① 뿐이다(종결사) : 不病而已
　　　② 그치다(동사) : 學不可以已
　　　③ 이미(부사) : 命已定矣

21. **將**   미래를 나타내는 '장차'의 뜻 외에 '장수, 거느리다'의 의미를
갖고 있다. '거느리다'에서 발전되어 '~을 가지고'라는 뜻으로
쓰일 때도 있다.

　　　① 장차(부사) : 田園將蕪
　　　② 장수(명사) : 紅衣將軍
　　　③ 거느리다(동사) : 其馬將胡駿馬而歸
　　　④ ~을 가지고(동사) : 將錦袍十餘段米數石

22. **諸**   일반적으로 '모두'라는 뜻으로 쓰이나 문장에서 개사의 역할을
하기도 한다. 개사로 쓰일 때는 음이 '저'로 바뀐다. 문장의 중
간에 오면 대명사 '之'와 전치사 '於'가 복합된 의미로 쓰이며,
문장의 끝에 오면 대명사 '之'와 의문 종결사 '乎'가 복합된 의
미를 나타낸다.

　　　① 모두(관형어) : 一日不念善, 諸惡皆自起
　　　② ~에서(之於) : 不若投諸江
　　　③ ~인가(之乎) : 一言以可以興邦 有諸

23. **足**   명사로써 '발'의 뜻이라는 것은 누구나 다 알고 있는 사실이다.
그러나 때로 가능을 나타내는 조동사로, 또는 '넉넉하다'의 형
용사로도 쓰일 때가 있다.

① 발(명사) : 蛇固無足
② ~할 수 있다(조동사) : 不愼言語, 足以速禍
③ 넉넉하다(형용사) : 左右供給雖足

24. 則 일반적으로 가정형 문장에 쓰여 '~하면'의 뜻으로 쓰인다. 그 외에 부사로 쓰이는 경우도 있다.

① ~하면(가정형) : 臣無法 則亂於下
② 바로, 곧 : 此則寡人之罪也
③ 겨우, 단지 : 口耳之間 則四寸耳
④ 한편으로는 : 一則以喜 一則以懼

25. 之 일반적으로 '가다'는 뜻의 동사로 사용되나 대명사나 관형격·주격·목적격 개사로도 활용된다.

① 가다 : 每日之海上
② 그것 : 心誠求之
③ ~의, ~하는(관형격) : 天下之大本也
④ ~을, 를(목적격) : 天命之謂性
⑤ ~이, 가(주격) : 師道之不傳也久矣

26. 何 의문문에 주로 사용되어 '무엇, 어디, 어느'의 뜻으로 쓰인다.

① 무엇 : 子夏云何
② 어찌(반문) : 鬼伯一何相催促
③ 어느(장소) : 此何遽不爲福乎

제2장

• • •

주제별 실용한문

학문과 독서

學而時習之　不亦說乎

有朋自遠方來　不亦樂乎

人不知而不慍　不亦君子乎

―『論語』＜學而＞

1. 한자 및 구문 설명

而 : 말 이을 이, 순접 역접의 접속사(앞뒤 내용에 따라 '그리고, 그러나'로 해석됨).
순접 : 男耕而女織
역접 : 室邇而人遠

自 : 여기서는 처소격으로 '~로부터'의 뜻임.
① 스스로 자
② 자연히, 저절로 자
③ ~로부터 자

說 : 여기서는 '기쁘다'의 뜻임.
① 말씀 설(說明, 傳說)
② 기쁠 열
③ 달랠 세(遊說)

樂 : 여기서는 '즐겁다'의 뜻임.
① 즐거울 락
② 음악 악(音樂)
③ 좋아할 요(樂山樂水)

人 : 남(他人), 자기(己)와 대립되는 말(己↔人).

不知 : 알아주지 않는다.

慍 : 성낼 온

不亦 ~ 乎 : 또한 ~하지 않겠는가.

2. 기초한자 어원 및 활용

1) 學 : 배울 학

집 안[宀]에서 아이[子]에게 손[手]으로 숫자[爻]를 헤아리는 법을 가르치는 모양.

혹은 아이에게 양손으로 그물[爻] 수선하는 법을 가르치는 모양.

활용 단어 : 學校, 學問, 學生, 大學, 晩學, 獨學

2) 敎 : 가르칠 교

처음 숫자[爻] 공부를 시작한 아이[子]에게 회초리[攵=攴]로 가르치는 모양.

활용 단어 : 敎育, 敎師, 敎授, 敎訓, 敎會, 宗敎, 說敎

* '攵'字가 부수 글자로 쓰인 글자

收(거둘 수), 攻(칠 공), 放(놓을 방), 改(고칠 개), 效(본받을 효), 敗(깨뜨릴 패), 斂(거둘 렴), 鼓(두드릴 고)

3. 고사성어

- 爲己之學과 爲人之學

  위기지학은 자신의 인격 수양을 목적으로 하는 학문을 일컫고, 위인지학은 다른 사람의 시선을 의식해서 실체보다는 외형만을 좇는 학문을 일컬음.

- 溫故知新

  학문을 함에 있어서 예전에 배운 것을 익히고 새 것을 터득함. 예전에 배운 것을 익히고 새로운 것은 터득하여 응용하는 것을 말함.

- 敎學相長

  학생은 배운 후에야 자기의 부족함을 알 수 있으며, 스승도 또한 가르친 후에야 비로소 어려움을 알게 되므로 가르치고 배우면서 더불어 성장한다.

- 切磋琢磨

  글자 그대로 해석하면 '톱으로 자르고 끌로 쪼며 줄로 다듬으며 숫돌에 간다.'는 뜻으로, 절차는 학문을 쌓는 것을, 탁마는 인격을 수양하는 것을 뜻함.

- 晝耕夜讀

  '낮에는 밭을 갈고 밤에 책을 읽는다.'는 뜻으로, 어려운 여건 속에서도 포기하지 않고 꿋꿋이 학문에 힘씀을 일컫는 말.

- 燈火可親

  '가을날은 선선하여 등불을 가까이 할만하다.'는 뜻으로, 독서를 권장하는 말.

4. 명언 및 한시

1) 명언

- **讀書百遍義自見**
  책을 백 번만 읽으면 자연히 그 뜻을 알 수 있다.

- **男兒須讀五車書**
  남자는 모름지기 다섯 수레의 책을 읽어야 한다.

- **一日不讀書 口中生荊棘**
  하루라도 책을 읽지 않으면 입안에 가시가 돋는다.

- **少年易老學難成 一寸光陰不可輕**
  소년은 늙기 쉽고 학문은 이루기 어려우니 짧은 시간이라도 가벼이
  여기지 말라.

2) 한시

<讀書> － 徐敬德

讀書當日志經綸	책 읽는 당일에는 경륜에 뜻을 두었으나
歲暮還甘顔氏貧	나이가 들수록 안연의 청빈이 좋게 여겨지네.
富貴有爭難下手	재산과 권력은 다툼이 있으므로 손대기 어려우나
林泉無禁可安身	숲 속 샘물은 금함이 없으니 몸을 편히 할 수 있네.
採山釣水堪充腹	나물 캐고 고기 잡아 배를 채우기 충분하고
詠月吟風足暢神	밝은 달 불어오는 바람을 노래하니 정신이 맑아지네.
學到不疑眞快活	학문이 의심없는 경지에 이르니
免敎虛作百年人	이제야 백년 인생이 헛되이 됨을 면하였구나!

靑出於藍

‘쪽[藍]에서 나온 푸른색이 쪽빛보다 더 푸르다.’는 뜻으로, 제자가 스승보다 더 나음을 이르는 말이며, 전국 시대의 儒學者로서 性惡說을 주창한 荀子의 글에 나오는 한 구절이다.

學不可以已 靑取之於藍而靑於藍 氷水爲之而寒於水
학문은 그쳐서는 안 된다. 푸른색은 쪽에서 취했지만 쪽빛보다 더 푸르고, 얼음은 물로 만들었지만 물보다도 더 차다.

학문이란 끊임없이 계속되는 것이므로 중지해서는 안 되며 푸른색이 쪽빛보다 푸르듯이, 얼음이 물보다 차듯이 스승을 능가하는 학문의 깊이를 가진 제자도 나타날 수 있다는 뜻이다. 제자가 스승보다 훌륭한 것은 그리 흔한 일이 아니다. 종교의 위대한 精神的 指導者들을 보더라도 창시자를 능가하는 제자는 거의 없다. 靑出於藍은 제자가 스승보다 뛰어난 경우를 가리키는 말로서 그 원 뜻은 ‘푸른 물을 들이는 염료[靑]가 쪽풀에서 나온다.’는 것이다. 쪽풀은 아주 평범한 녹색 식물일 뿐인데 거기서 코발트빛의 染料가 추출되는 것은 이례적인 사건이다. 그래서 이 말은 완숙한 스승이 부족한 제자를 이끌어 주는 일반적 사례와 달리, 제자가 스승을 學問的으로나 人格的으로 능가하는 사례에 비유된다. 현재 쓰고 있는 意味에서는 靑出於藍의 뒤에 靑於藍이라는 句節이 이어져 있어 ‘푸른 染料는 쪽풀에

서 抽出하지만 쪽풀보다 더 푸르다.’는 意味로 스승보다 나은 제자를 가리키는 用語로 굳어졌다. 사실 先生과 學生은 一方的인 關係가 아니라 쌍방 간의 人格的 交感이 이루어지는 가운데 서로를 키워 주는 關係이다. 學生은 배우면서 가르치고 先生은 가르치면서 배운다. 이것이 예나 지금이나 우리가 志向해야 할 가르치는 자와 배우는 자의 올바른 關係이다.

爪甲穿掌

爪甲穿掌은 '손톱이 손바닥을 뚫었다.'는 뜻으로, 굳은 결심으로 목적한 일을 이루었을 때 쓰는 말이다. 이 고사는 朝鮮 中宗 때 梁淵이라는 사람에 관한 逸話에서 유래한다. 『大東奇聞』을 보면 다음과 같은 기록이 실려 있다.

梁淵은 어려서 매우 뛰어나 세상 일에 얽매이지 않았다. 나이 40에 이르러서야 비로소 발분하여 학문을 결심하여 왼손을 움켜쥐고 학문을 이루지 않으면 손바닥을 펴지 않겠다고 맹세하였다. 그리고는 北漢山 中興寺에 들어가 공부를 시작하여 몇 년만에 文理가 통하고 시의 품격도 淸高해졌다. 그는 장인에게 다음의 시를 보내 文房四友를 더 보내달라고 하였다.

書榻燈光暗	책상의 등잔불 빛은 어둡고
硯池水色淸	벼루의 물빛은 맑도다.
管城吾所願	관성은 내가 원하는 것이요
兼望楮先生	아울러 종이선생도 바랍니다.

장인이 그가 晩學하였으면서 빨리 성취한 것을 가상히 여겨 웃으며 답하기를, "梁忠義가 나이 40에 山堂에서 독서하니 아 늦었구나."라고 하였다. 이것을 세상 사람들이 美談으로 전하였다. 나중에 梁淵이 드디어 科擧에 及第하게 되었는데, 급제하던 날 비로소 손을 펴려고 하니 그동안 손톱이 계속 자라 손바닥을 뚫고 나왔다.

螢雪之功

車胤이 비단 주머니에 수십 마리의 반딧불이를 잡아넣고서 그 빛으로 밤을 새우며 글을 읽고, 孫康이 눈빛으로 글을 읽었다는 데서 나온 말이다. 이 말은 온갖 고생을 하면서도 꾸준히 학문을 닦은 보람을 뜻한다. 螢窓雪案이라고도 한다. 『晉書』에 다음과 같은 故事가 전한다.

晉의 車胤은 字가 武子이다. 어려서 공손하고 부지런하며 책 읽기를 좋아하였다. 그러나 집이 가난하여 기름을 항상 얻지는 못하였다. 여름철에 비단 주머니에 수십 마리의 반딧불이를 담아 책을 비춰서 읽으며 밤으로써 낮을 잇더니, 후에 벼슬이 尙書郞에 이르렀다. 지금 사람들이 書窓을

螢窓이라 함은 이로 말미암은 것이다. 晉의 孫康은 어려서 마음이 맑고 깨끗하여 다른 사람을 사귐에 잡스럽지 않았으나 집이 가난하여 기름이 없어서 일찍이 눈[雪]에 비춰 책을 읽더니, 후에 벼슬이 御史大夫에 이르렀다. 지금 사람이 書案을 雪案이라 함은 이로 말미암은 것이다.

친구와 우정

益者三友 損者三友 友直 友諒 友多聞 益矣

友便辟 友善柔 友便佞 損矣

－『論語』＜季氏＞

伯牙 善鼓琴 鍾子期 善聽 伯牙鼓琴 志在高山

子期曰 善哉 巍巍乎若泰山 志在流水 子期曰

善哉 洋洋兮若江河 伯牙所念 子期必得之 鍾

子期死 伯牙破琴絶絃 終身不復鼓琴 以爲無足

爲鼓者

－『蒙求』

1. 한자 및 구문 설명

便辟 : 마음이 치우치고 바르지 못함.

善柔 : 착하기는 하지만 유약하여 자신의 주관이 없음.

便佞 : 아첨하는 것.

伯牙 : 거문고를 잘 탔다고 전해지는 인물.

鍾子期 : 백아의 음악을 잘 이해했다고 전해지는 인물.

善哉 : 좋구나!

巍巍 : 높은 모양.

洋洋 : 넓은 모양.

復 : 여기서는 '다시'의 뜻임.
    ① 돌아올 복(復歸)
    ② 다시 부(復興)

以爲 : '여기다'의 의미.

2. 기초한자 어원 및 활용

友 (벗 우)				交 (사귈 교)			
갑골문	금문	소전	해서	갑골문	금문	소전	해서

1) 友 : 벗 우

친구 둘이 서로 손을 포갠 모양.

활용 단어 : 友情, 友愛, 親友, 知友

2) 交 : 사귈 교, 교차할 교

사람의 두 다리가 서로 교차한 모양.

활용 단어 : 交友, 親交, 外交, 交通, 交叉路

* '交'字가 공통적으로 들어간 글자

郊 (교외 교) : 郊外   較 (비교할 교) : 比較

狡 (교활할 교) : 狡猾   效 (본받을 효) : 效果

3. 고사성어

- **刎頸之交**
  『史記』에 나오는 고사로 廉頗와 藺相如의 우정에서 비롯되어 목을 베어 줄 수 있을 정도로 절친한 우정을 뜻함.

- **肝膽相照**
  한유가 유종원의 墓誌銘에서 쓴 표현. '서로 간과 쓸개를 꺼내 보인다.'는 뜻으로 상호간에 진심을 터놓고 격의 없이 사귀는 것을 이름.

- **竹馬故友**
  어렸을 때 친하게 지낸 친구.

- **莫逆之友**
  매우 친하여 서로 거슬릴 것이 없을 정도로 친한 벗.

- **金蘭之交**
  『周易』「繫辭上傳」에 나오는 말로 친구 사의의 두터운 정의를 이르는 말. (芝蘭之交)

- **金石之交**
  금이나 돌같이 사귐이 굳고 변함이 없음.

- **斷金之交**
  쇠를 끊을 정도의 굳은 우정.

- **忘年之交**
  나이에 상관없이 서로를 인정하고 존경하여 사귀는 것을 말함.

4. 명언 및 한시

1) 명언

- 貧賤之交不可忘
  가난하고 어려운 때 사귄 친구는 언제까지나 잊어서는 안 된다.

- 君子以文會友 以友輔仁
  군자는 학문으로써 벗을 모으고, 벗으로써 인을 돕는다.

- 路遙知馬力 日久見人心
  길이 멀어야 말의 힘을 알 수 있고, 시일이 오래 되어야 사람의 마음을 알 수 있다.

- 不結子花 休要種 無義之朋 不可交
  열매를 맺지 않는 꽃은 심지 말고, 의리 없는 친구는 사귀지 말라.

- 君子之交 淡如水 小人之交 甘若醴
  군자의 사귐은 맑기가 물 같고, 소인의 사귐은 달기가 단술 같다.

2) 한시

<伯牙> － 申沆

我自彈吾琴	나는 스스로 내 거문고를 탈 뿐
不須求賞音	소리 알아주기를 바라지는 않는다.
鍾期亦何物	종자기란 사람은 어떤 인물이길래
强辨弦上心	억지로 거문고에 담긴 마음 구별하는가!

管鮑之交

중국의 '管仲과 鮑叔牙의 사귐'이라는 뜻으로, 친구 사이의 다정한 교제를 일컫는 말이다. 서로 정파가 달라 정적이 되었으나 포숙아가 관중의 등용을 제환공에게 권하여 관중의 벼슬길이 열렸고, 그로 인해 관중은 제환공을 춘추시대의 五霸 가운데 한 사람으로 만드는 데 일조할 수 있게 되었다. 관중은 포숙아를 두고 "나를 낳아 준 사람은 부모님이지만, 나를 알아준 사람은 포숙아이다(生我者父母 知我者鮑子也)."라고 하였다. 『史記』에 다음과 같은 기록이 전한다.

춘추시대 초엽, 齊나라에 管仲과 鮑叔牙라는 두 관리가 있었다. 이들은 竹馬故友로 둘도 없는 친구 사이였다. 관중은 한때 소백을 암살하려 하였으나 그가 먼저 귀국하여 桓公이라 일컫고 노나라에 공자 규의 처형과 아울러 관중의 押送을 요구했다. 환공이 압송된 관중을 죽이려 하자 포숙아는 이렇게 진언했다. "전하, 齊나라만 다스리는 것으로 만족하신다면 신으로도 충분할 것이옵니다. 하오나 천하의 霸者가 되시려면 관중을 기용하시옵소서." 도량이 넓고 식견이 높은 환공은 신뢰하는 포숙아의 진언을 받아들여 관중을 중용하고 정사를 맡겼다. 관중은 훗날 포숙아에 대한 감사한 마음을 이렇게 술회하고 있다. "나는 젊어서 포숙아와 장사를 할 때 늘 이익금을 내가 더 많이 차지했었으나, 그는 나를 욕심쟁이라고 말하지 않았다. 내가 가난하다는 걸 알고 있었기 때문이다. 또 그를 위해 착수한 사업이 실패하여 그를 궁지에 빠뜨린 일이 있었지만, 나를 용렬하다고 여기지 않았다. 일에는 성패가 있다는 걸 알고 있었기 때문이다. 나는 또 벼슬길에 나갔다가는 물러나곤 했지만, 그는 나를 무능하다고 말하지 않았다. 내게 운이 따르지 않았다는 것을 알고 있었기 때문이다. 어디 그뿐인가. 나는 싸움터에서도 도망친 적이 한두 번이 아니었지만 그는 나를 겁쟁이라고 말하지 않았다. 내게 老母가 계시다는 것을 알고 있었기 때문이다."

水魚之交

'물과 고기의 관계처럼 아주 친밀하여 뗄 수 없는 사이'라는 뜻으로, 47세의 유비와 28세의 제갈공명과의 관계에서 유래한 말이다. 『三國志』<蜀志 諸亮傳>에 다음과 같은 기록이 전한다.

유비에게는 관우와 장비와 같은 용장이 있었지만, 천하의 계교를 세울 만한 지략이 뛰어난 謀士가 없었다. 이러한 때에 諸葛孔明과 같은 사람을 얻었으므로, 유비의 기쁨은 몹시 컸다. 그리고 제갈공명이 금후에 취해야 할 방침으로, 荊州와 益州를 눌러서 그곳을 근거지로 할 것과 서쪽과 남쪽의 이민족을 어루만져 후방의 근심을 끊을 것과 내정을 다스려 부국강병의 실리를 올릴 것과 손권과 결탁하여 조조를 고립시킨 후 시기를 보아 조조를 토벌할 것 등의 천하 평정의 계책을 말하자 유비는 그 계책에 전적으로 찬성하여 그 실현에 힘을 다하게 되었다. 이리하여 유비는 제갈공명을 절대적으로 신뢰하게 되어 두 사람의 교분은 날이 갈수록 친밀해졌

다. 그러자 관우나 장비는 불만을 품게 되었다. 새로 들어온 젊은 제갈공명만 중하게 여기고 자기들은 가볍게 취급받는 줄로 생각했기 때문이다. 일이 이리 되자 유비는 관우와 장비 등을 위로하여 이렇게 말했다. "내가 제갈공명을 얻은 것은 마치 물고기가 물을 얻은 것과 같다. 즉 나와 제갈공명은 물고기와 물과 같은 사이이다. 아무 말도 하지 말기를 바란다." 이렇게 말하자, 관우와 장비 등은 더 이상 불만을 표시하지 않게 되었다.

朋友

유교에서 이르는 五倫으로 父子有親, 君臣有義, 夫婦有別, 長幼有序, 朋友有信이 있다. 부모와 자식, 임금과 신하, 남편과 아내, 어른과 아이 사이에 지켜야 할 도리를 말하고 있다. 그렇다면 朋友有信 역시 '朋과 友 사이에 믿음이 있어야 한다.'로 해석된다. 朋과 友는 모두 벗이라는 뜻이어서 한자의 訓으로는 구분이 어렵다.

『周禮』를 보면, "同師曰朋이라고 하여 같은 스승을 섬기는 사람들을 朋이라고 하고, 同志曰友라고 하여 같은 뜻을 지닌 사람들을 友라고 한다."라고 정의하고 있다. 한자를 발생학적으로 살펴보면 朋은 원래 화폐 단위의 명칭에서 유래한 것으로, 조개 꾸러미 두 개를 朋이라고 하였다. 그래서 친구가 찾아오면 한 쌍의 항아리에 담은 술병을 내오는 것이 관습이었고, 그 술을 朋酒라고 불렀다. 또는 朋은 새들이 무리 지어 다니는 것을 본 떠 만든 글자라고도 한다.

즉, 친구는 무리 지어 다니는 존재라는 의미가 朋이라는 글자에 담겨 있는 것이다. 또한 같은 스승을 섬기는 사람들이기에 의견이 달라지면 서로 갈라설 수도 있으므로 朋黨이라는 표현도 가능한 것이다. 友는 두 사람의 오른손이 위아래로 겹친 모습에서 유래한 글자로 서로 돕고 사는 사이라는 의미를 담고 있다. 그러므로 애초에 뜻이 맞는 同志들끼리 만났으므로 의견이 나뉠 것이 없는 것이다.

전쟁과 패권

項王軍 壁垓下 兵少食盡 漢軍及諸侯兵 圍之
數重 夜聞漢軍 四面皆楚歌 項王乃大驚曰 漢
皆已得楚乎 是何楚人之多也

　　　　　　　　　　　　　　　－『史記』〈項羽本紀〉

知彼知己者 百戰不殆 不知彼而知己 一勝一負
不知彼不知己 每戰必殆

　　　　　　　　　　　　　　　　　　　－『孫子兵法』

1. 한자 및 구문 설명

壁 : 여기서는 진을 치고 굳게 지키다의 의미.
　　① 벽 벽
　　② (진지를) 굳게 지키다

食 : 여기서는 '밥 사' 자로 쓰여 식량이라는 뜻임.
　　① 먹을 식
　　② 밥 사

及 : 여기서는 '~와'의 뜻임.
　　① 미칠 급
　　② ~와 급

之 : 여기서는 주격으로 '~이/가'의 뜻임.
　　① 갈 지(동사로 '가다'라는 뜻으로 쓰임)
　　② 어조사 지(주격 또는 관형격으로 쓰임)
　　③ 대명사 지(앞에 나온 명사를 대신함)

已 : 이미 이

乎 : 어조사 호(문미에 오면 감탄형으로 쓰임)

是何 : 어찌하여

殆 : 위태로울 태

2. 기초한자 어원 및 활용

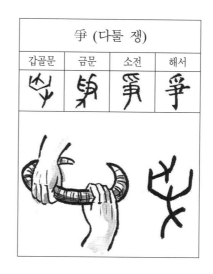

軍 (군사 군)			
갑골문	금문	소전	해서

爭 (다툴 쟁)			
갑골문	금문	소전	해서

1) 軍 : 군사 군

전쟁을 위한 수레가 모여 있는 모양.

활용 단어 : 軍隊, 軍令, 軍氣, 空軍, 聯合軍

2) 爭 : 다툴 쟁

두 사람이 손으로 서로 소뿔을 잡으려고 다투는 모양.

활용 단어 : 爭取, 爭覇, 爭奪, 鬪爭, 言爭

* '車'字가 부수로 쓰인 글자

陣(진칠 진), 連(잇닿을 련), 運(운행할 운), 輩(무리 배), 輪(바퀴 륜)

輿(수레 여), 轉(구를 전)

3. 고사성어

- 乾坤一擲

  '하늘과 땅을 걸고, 즉 운을 하늘에 맡기고 한번 주사위를 던져 본다.'는 뜻으로, 승패와 흥망을 걸고 마지막으로 결행하는 승부를 말함.

- 背水之陣

  '물을 등지고 진을 친다.'는 뜻으로, 결사적인 각오로 전쟁에 임한다는 말.

- 破釜沈舟

  솥을 깨뜨리고 배를 가라 앉혀 결사적인 항전 태세를 갖춤.

- 臥薪嘗膽

  '섶에 누워 자고 쓴 쓸개를 핥는다.'는 뜻으로, 원수를 갚거나 어떤 목적을 이루기 위해 괴로움을 참고 견딤을 비유한 말.

- 合縱連衡

  서로 같은 부류끼리 손잡거나 뭉치는 것. (合縱連橫)

- 七縱七擒

  諸葛亮이 孟獲을 일곱 번 잡았다 일곱 번 풀어준 고사에서 비롯된 것으로, 상대를 진심으로 굴복시키기 위해 인내를 가지고 기다린다는 말.

- 破竹之勢

  '대나무를 쪼개는 기세'라는 뜻으로, 막을 자가 없는 맹렬한 기세를 비유하거나 무인지경을 가듯 아무런 저항도 받지 않고 진군하는 것을 비유하는 말.

4. 명언 및 한시

1) 명언

- 勝敗兵家之常事

  이기고 지는 것은 병가의 일상적인 일이다.

- 三十六計走爲上計

  '서른여섯 가지 계책 중에서 달아나는 것이 제일 좋은 계책'이란 뜻
  으로, 일의 형편이 불리할 때는 도망가는 것이 상책이라는 말이다.

2) 한시

<兵車行> - 杜甫

車轔轔馬蕭蕭	수레는 삐걱거리고 말 울음 소리 쓸쓸하고
行人弓箭各在腰	출정하는 군인들 허리에 활을 차고 있네
耶娘妻子走相送	부모와 처자들이 달려와 송별하니,
塵埃不見咸陽橋	흙먼지 티끌에 함양교가 가리어 보이지 않네
牽衣頓足攔道哭	옷을 붙들고 발을 구르며 길을 막고 우니,
哭聲直上干雲霄	그 울음소리 바로 하늘의 구름까지 오르네.
道傍過者問行人	길 지나는 사람 출정 군인에게 물으니,
行人但雲點行頻	군인은 징집이 너무 빈번하다 하네.
或從十五北防河	열다섯 살부터 북방의 황하를 수비하다가,
便至四十西營田	나이 마흔이 되어서는 서쪽으로 가서 군전을 개간한다네.
去時里正與裹頭	떠나 올 땐 이장이 머리를 묶어 주었는데,
歸來頭白還戍邊	백발에 돌아오자 다시 수자리가네.
邊庭流血成海水	변방에는 피가 흘러 바닷물 이루는데,
武皇開邊意未已	무황이 변방을 개척하는 뜻은 그치지 않네.
(… 後略 …)	

項羽와 劉邦

　　진시황이 6국을 정복하여 천하를 통일하였으나, 그가 죽은 후 호해가 집권하면서 환관 조고의 전횡 때문에 국정이 문란해진다. 더구나 만리장성, 진시황릉 건설 등과 같은 대규모 토목 공사로 인한 농민의 유민화가 가속되어 결국 진승, 오광의 난이 일어나는 등 진나라는 다시 분열하게 된다.

　　그때 劉邦과 項羽도 의거하여 진나라를 공격했으며, 초나라 義帝를 받들었다. 유방은 항우보다 먼저 함양에 도착하여 진나라 3세 황제 자영의 항복을 받아냈다. 그러나 이에 반발한 항우에 의해 자영이 살해되고 진시황의 능이 파헤쳐지고 유방은 蜀으로 쫓겨났다. 항우는 유방을 쫓아낸 뒤 義帝를 죽이고 스스로 제위에 올라 정권을 장악했다.

　　그 당시 항우 밑에 있었던 韓信은 유방에게 망명하여 항우를 무찌를 것을 주장하고 유방은 항우를 멸하기 위해 초나라로 진격하여 자신의 수하인 張良, 陳平의 활약으로 승승장구한다. 그러던 끝에 항우는 한신의 매복에 걸려 도망치던 중에 애첩 우미인과 영원한 이별을 하고 시 한편을 읊고 자살한다.

　　力拔山兮氣蓋世　　힘은 산을 뽑고 의기는 세상을 덮지만
　　時不利兮騅不逝　　때는 불리하고 오추마는 가지 않는구나
　　騅不逝兮可奈何　　오추마가 가지 않으니 어찌하면 좋은가
　　虞兮虞兮奈若何　　미인이여! 미인이여! 그대를 어찌할 거나

　　그 뒤 유방은 천하를 통일하고 제위에 등극하여 漢高祖가 된다. 천하가 통일된 뒤 항우의 수하들 중 季布는 항복하고, 鐘離梅는 자살하고, 한신은 한고조의 부인 呂太后에게 살해당했다. 그 뒤, 한고조는 영포를 격파한 뒤, 자신의 고향에서 <大豊歌>를 불렀다.

　　大風起兮雲飛揚　　큰 바람 일고 구름은 높게 날아가네
　　威加海內兮歸故鄕　　위풍을 해내에 떨치며 고향에 돌아왔네
　　安得猛士兮守四方　　내 어찌 용맹한 인재를 얻어 사방을 지키지
　　　　　　　　　　　　않을 소냐

捲土重來

'한 번 실패한 사람이 세력을 회복하여 다시 도전한다.'는 뜻으로, 당나라 때의 시인 杜牧(803~852)의 詩 <題烏江亭>의 마지막 구절 '흙먼지를 말아 일으키며 다시 쳐들어온다.'에서 유래한 고사성어이다.

勝敗兵家不可期	승패는 병가도 기약할 수 없으니
包羞忍恥是男兒	수치를 싸고 부끄럼을 참아야만 남아로다
江東子弟俊才多	강동의 자제 중에는 준재가 많으니
捲土重來未可知	권토중래는 아직 알 수 없네

烏江은 楚霸王 項羽(B.C. 232~202)가 스스로 목을 쳐서 자결한 곳이다. 한왕 劉邦과 垓下에서 펼친 '운명과 흥망을 건 한판 승부[乾坤一擲]'에서 패한 항우는 오강으로 도망가 亭長으로부터 "江東(江南, 양자강 하류 이남의 땅)으로 돌아가 재기하라."라는 권유를 받았다. 그러나 항우는 "8년 전(B.C. 209) 강동의 8,000여 자제와 함께 떠난 내가 지금 혼자 무슨 면목으로 강을 건너 강동으로 돌아가 부형을 대할 것인가."라며 파란 만장한 31년의 생애를 마쳤다.

항우가 죽은 지 1,000여년이 지난 어느 날, 두목은 오강의 客舍에서 일세의 風雲兒 항우를 생각했다. 단순하고 격한 성격의 항우, 힘은 산을 뽑고 의기는 세상을 덮는 장사 항우, 四面楚歌 속에서 애첩 虞美人과 헤어질 때 보여 준 인간적인 매력이 있는 항우, 바로 그를 생각했다. 그리고 그는 강동은 준재가 많은 곳이므로 강동의 부형에 대한 부끄러움을 참으면 권토중래할 수 있는 기회가 있었을 텐데도 그렇게 하지 않고 31세의 젊은

나이로 자결한 항우를 애석히 여기며 이 시를 읊었다. 이 시는 항우를 읊은 시 중에서 가장 잘 알려진 것이다.

그러나 唐宋八大家의 한 사람인 王安石은 '강동의 자제는 항우를 위해 권토중래하지 않을 것'이라고 읊었고, 司馬遷도 그의 저서 『史記』에서 '항우는 힘을 과신했다.'고 쓰고 있다.

兎死狗烹

    '토끼 사냥이 끝나면 사냥개가 삶아 먹힌다.'는 뜻으로, 쓸모가 있을 때는 긴요하게 쓰이다가 쓸모가 없어지면 헌신짝처럼 버려질 때 곧잘 쓰는 말이다.

    옛날 중국 漢나라 때의 장수 韓信에 관한 이야기다. 楚霸王 項羽를 멸하고 漢나라의 高祖가 된 劉邦은 蕭何·張良과 더불어 한나라의 創業三傑 중 한 사람인 韓信을 楚王에 책봉했다(B.C. 200). 그런데 이듬해, 항우의 猛將이었던 鍾離昧가 한신에게 몸을 의탁하고 있다는 사실을 안 高祖는 지난날 종리매에게 고전했던 악몽이 되살아나 크게 노했다. 그래서 한신에게 당장 압송하라고 명했으나 종리매와 오랜 친구인 한신은 고조의 명을 어기고 오히려 그를 숨겨 주었다. 그러자 고조에게 '한신은 반심을 품고 있다.'는 상소가 올라왔다. 진노한 고조는 참모 陳平의 獻策에 따라 제후들에게 '모든 제후들은 楚땅의 陳(河南省 內)에서 대기하다가 雲夢湖로 遊幸하는 짐을 따르도록 하라.'고 명령을 내렸다. 이것은 한신이 나오면 陳에서 포박하고, 만약 나오지 않으면 陳에 집결한 다른 제후들의 군사로 한신을 주살할 계획이었다.

    고조의 명을 받자 한신은 예삿일이 아님을 직감했다. 그래서 '아예 반기를 들까?'하고 생각도 해보았지만 '죄가 없는 이상 별일 없을 것'으로 믿고서 순순히 고조를 배알하기로 했다. 그러나 불안이 완전히 가신 것은 아니었다. 그래서 한신은 자결한 종리매의 목을 가지고 고조를 배알했다. 그러나 염려했던 대로 역적으로 몰려 포박을 당하자 한신은 분개하여 '교활한 토끼를 사냥하고 나면 좋은 사냥개는 삶아 먹히고, 하늘 높이 나는 새를 다 잡으면 좋은 활은 곳간에 처박히며, 적국을 쳐부수고 나면 지혜 있는 신하는 버림을 받는다고 하더니 漢나라를 세우기 위해 粉骨碎身한 내가, 이번에는 고조의 손에 죽게 되는구나.'라고 하였다.

갈등과 포용

臣聞地廣者粟多 國大者人衆 兵强則士勇 是以

泰山不辭土壤 故能成其大 河海不擇細流 故能

就其深 王者不却衆庶 故能明其德

—李斯「諫逐客書」

1. 한자 및 구문 설명

粟 : 여기서는 '식량'의 뜻임.
　　① 조 속
　　② 식량, 양식 속

是以 : 이런 이유로

辭 : 여기서는 '사양하다'의 뜻임.
　　① 사양할 사
　　② 말씀 사
　　③ 하직인사할 사

擇 : 여기서는 '가리다'의 뜻임.
　　① 가리다 택
　　② 선택하다 택
　　③ 뽑다 택

王者 : 王道로 천하를 다스리는 사람.

2. 기초한자 어원 및 활용

葛 (칡 갈)			
갑골문	금문	소전	해서
	葛	葛	葛

藤 (등나무 등)			
갑골문	금문	소전	해서
		藤	藤

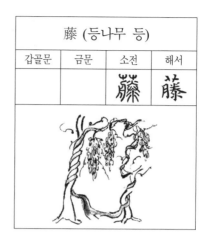

1) 葛 : 칡 갈

뜻을 나타내는 초두머리(艹(=艸) ☞ 풀, 풀의 싹) 部와 음(音)을 나타내
는 曷(갈)로 이루어짐.
활용 단어 : 葛根, 葛巾

2) 藤 : 등나무 등

뜻을 나타내는 초두머리(艹(=艸) ☞ 풀, 풀의 싹) 部와 음(音)을 나타내
는 동시(同時)에 새끼의 뜻을 나타내는 글자 滕(등)으로 이루어짐. 구불
구불 길게 자라는 풀의 뜻.
활용 단어 : 藤葛, 藤家具

* '艹'字가 부수로 쓰인 한자
草(풀 초), 花(꽃 화), 芳(꽃다울 방), 英(꽃부리 영), 菊(국화 국), 菓(과
일 과), 萌(싹 맹), 芽(싹 아)

3. 고사성어

- 反目

  서로 사이가 좋지 않고 미워함.

- 白眼視

  『晉書』「阮籍傳」에서 나온 말로, 진나라 때 죽림칠현의 한 사람인 阮籍이 반갑지 않은 손님은 白眼으로 대하고, 반가운 손님은 靑眼으로 대한 데서 유래한다.

- 和而不同

  『論語』「子路」에서 나온 말로 남과 사이좋게 지내기는 하나 무턱대고 어울리지는 아니한다는 말에서 유래함.

- 面從腹背

  겉으로는 순종(順從)하는 체하고 속으로는 딴 마음을 먹음.

- 口蜜腹劍

  입은 꿀같이 달아도 배에는 칼을 품고 있다.

- 大同團結

  여러 집단이나 사람이 한 가지 목적을 이루기 위해 한 덩어리로 뭉침.

- 不俱戴天

  『禮記』「曲禮」에서 유래한 말로 함께 한 하늘을 이지 못할 원수를 가리킴.

4. 명언 및 한시

1) 명언

* 天時不如地利 地利不如人和
  하늘이 내린 때도 지리적 이점만 못하고 지리적 이점도 사람들의
  화합보다 못하다.

* 殺人之父 人亦殺其父 殺人之兄 人亦殺其兄 然則非自殺之也
  一間耳
  남의 아비를 죽이면 남 또한 그 아비를 죽이며 남의 형을 죽이면
  남 또한 그 형을 죽인다. 그런즉 스스로 그를 죽이지 않았대도 한
  간격일 뿐이다.

2) 한시

병자호란 이후 심양으로 끌려간 김상헌과 최명길이 주고 받은 시.

* 김상헌

湯氷俱是水	끓는 물도 얼음도 다 물이고
裘葛莫非衣	가죽옷도 베옷도 모두 옷인 것을
從尋兩世好	조용히 두 대(代) 걸친 우호 찾으니
頓釋百年疑	어느 순간 백년의 의심 풀렸네.

* 최명길

君心如石終難轉	그대의 마음은 돌과 같아 변하기 어려우나
吾道如環信所隨	나의 도는 고리와 같아 믿는 바에 따라 돈다네.

제환공과 관중

　　관중과 포숙아는 절친한 친구였으나 각자 섬기는 주인이 달랐다. 관중은 공자 糾를 섬겼고 포숙아는 공자 小白을 섬겼다. 제나라 내부의 국내 사정이 좋지 않아 공자 규는 노나라, 공자 소백은 거나라로 도피생활을 한다. 마침내 제나라의 왕위가 비자 두 공자는 귀국 경쟁에 오른다. 이때 관중과 소백은 중간 지점에서 조우하게 된다. 관중은 갑자기 활을 당겨 소백을 쏘았고 소백의 배를 맞추는 데 성공한다. 소백이 화살을 맞고 쓰러졌기에 관중은 소백이 죽은 것으로 오해를 하고 행렬의 속도를 늦춘다. 사실 소백은 허리띠 쇠고리에 화살을 맞아 죽지 않고 살았으나 순간적인 기지로 죽은 시늉을 했던 것이다. 소백 일행은 속도를 올려 제나라의 수도 임치로 향하였고 먼저 임치에 입성하여 왕좌를 차지하게 된다. 이후 왕위에 등극한 소백을 제환공이라 칭한다. 한발 늦은 공자 규와 관중은 다시 노나라로 도망친다. 포숙아는 제환공에게 천하에 위업을 떨치기 위해서는 관중이 꼭 필요하다고 설득하고, 관중을 재상으로 임명하겠다는 약속을 받아낸다. 제환공은 처음에는 자신을 쏜 관중을 재상으로 임명할 생각이 없었으나 포숙아의 설득 끝에 과거의 앙금을 모두 털어버리고 노나라에 관중을 돌려보낼 것을 요구한다. 노나라가 관중을 돌려보내자 제환공은 관중을 재상으로 삼는다. 이후 제환공은 관중의 의견을 적극적으로 받아들여 국정과 외교를 수행하였고 이는 제나라의 국력신장으로 이어졌다. 제환공과 관중은 서로를 완전히 신뢰하고 일치단결하였으며 과거의 이력 따위는 전혀 문제 삼지 않았다. 관중의 보좌에 힘입어 제환공은 마침내 춘추 시대 가장 영향력 있는 인물로 인정받아 초대 패공의 자리에 오르게 된다.

당태종과 위징

唐太宗 李世民은 여러 명신들과 함께 貞觀之治라고 불리는 태평성대를 이룩해낸 당나라의 명군이다. 당태종의 여러 명신들 중에서도 손꼽히는 인물은 단연 魏徵이다. 그런데 당태종 이세민과 위징의 인연은 악연으로 시작해서 악연으로 끝날 수도 있었다. 당나라를 창업한 당고조 이연에게는 네 명의 아들이 있었는데, 당나라를 건국하고 안정시키는 데 차남 이세민의 공이 가장 컸다. 하지만 장자인 이건성의 공도 작지 않은데다 별다른 결격사유도 없으므로 이건성이 태자가 되었다. 야망이 큰 이세민은 형과 황제 자리를 놓고 경쟁을 벌이게 되는데, 이때 태자 이건성의 진영에 책사 위징이 있었다. 위징은 자신의 주군인 이건성에게 자주 이세민을 죽여야 한다는 간언을 했었다. 그러나 이세민이 먼저 현무문의 변을 일으켜 직접 형인 이건성을 죽이고 아버지로부터 황제의 자리를 넘겨받는 일이 발생한다. 이세민은 위징을 불러 문책한다.

"그대는 어찌 우리 형제 사이를 이간하였는가?"

"모시는 사람은 주군을 위하는 것이 당연합니다. 만약 제 말을 따랐다면 이전의 태자께서는 화를 당하지 않으셨을 겁니다."

이 말을 들은 당태종 이세민은 위징을 벌주지 않고 등용하였다. 이후 위징은 당태종에게 목이 달아날 정도의 직언을 서슴지 않았으며 옳지 않다고 생각하면 황제의 명령이라도 끝까지 반대했다. 한번은 위징과 대화하다 너무 화가 난 당태종이 황후에게 위징을 죽이겠다고 말한 적도 있다. 이에 황후가 당태종에게 절을 하며 "황제가 밝으면 신하가 강직하다."면서 축하하자 당태종은 웃으며 위징에게 상을 내렸다. 이처럼 위징은 황제에게

간언하기를 두려워하지 않았다. 그러나 맡은 업무에 있어서는 뛰어난 역량을 발휘하여 당태종을 보좌하였다. 위징이 죽자 당태종은 슬퍼하며 장사를 후히 치러주고자 했다. 그러나 위징의 부인이 평소 검약했던 고인의 뜻이 아니라며 이를 거절하였다. 마지막까지 위징은 당태종의 뜻을 거스른 셈이다. 위징에 대한 당태종의 심정은 복잡 미묘하여 위징의 묘비를 부수기도 하였다. 그러나 고구려 정벌 실패 후 당태종은 "위징이 살아 있었다면 원정을 말렸을텐데…"라고 하며 후회하며 다시 묘비를 세워주었다.

세종대왕과 황희

황희는 고려 말에 14살의 나이로 관직생활을 시작하여 총 73년의 벼슬살이를 하였으며 그 중 24년간은 정승의 자리에 있었던 조선 초기의 명신이다. 세종 대 태평성대의 주역이자 87세까지 현직에서 봉직하며 조선의 기틀을 닦은 명재상으로 평가받는다. 강단과 혜안, 결단력, 인격을 비롯하여 분야를 가리지 않는 능력을 겸비하여 대대로 군왕들의 신뢰를 받았다.

세종대왕은 황희가 고령으로 은퇴하겠다는 요청을 무려 18년간이나 거부하며 중용한다. 황희가 모친상을 당해 사직을 청하였을 때는 직접 복직을 명하였고, 상중에도 고기를 먹으라는 명을 내릴 정도로 건강을 염려하였으며 이후 계속되는 사직요청에는 가마를 보내주거나 재택근무를 허락하는 등 배려를 아끼지 않았다. 그만큼 황희에 대한 세종대왕의 신뢰는 두터웠다. 그러나 그들의 관계가 처음부터 좋았던 것은 아니었다.

조선 3대 왕 태종 이방원에게는 양녕대군, 효령대군, 충녕대군이라는 아들이 있었다. 장자인 양녕대군이 세자로 책봉되었으나 반복되는 비행으로 인해 부왕의 눈 밖에 나게 되자 폐세자론이 비등한다. 이때 황희는 폐세자론에 대해 반대의견을 내며 양녕대군의 비행을 옹호하다가 태종의 노여움을 사서 파직당한다. 이후 복직하였으나 태종이 충녕대군을 세자로 책봉하자 국본을 쉽게 바꾼다며 반대하다가 폐서인되어 파주와 남원에서 유배생활을 해야 했다. 게다가 황희는 세종의 외숙부인 민무휼 형제를 비판하는 데 앞장서서 민 씨 형제들을 죽음에 이르게 한 책임이 있었다. 세종의 입장에서 황희는 외가를 파탄낸 장본인이자 자신의 왕위계승을 끝까지 방해한 인물인 셈이다. 그러나 세종대왕은 황희의 인물됨과 능력을 알고

있었기에 과거의 일을 문제 삼지 않았고 다시 조정으로 불러들여 전폭적인 지지를 보냈다. 그 결과 역사 상 보기 드문 성세를 구가할 수 있었으니, 이는 과거의 갈등에 매이지 않고 능력으로 상대를 평가하고 받아들인 세종대왕의 넓은 포용력 덕분이라 할 수 있다.

사랑과 이별

王子好童　遊於沃沮　樂浪王崔理出行　因見之

問曰　觀君顏色　非常人　豈非北國神王之子乎

遂同歸　以女妻之　後好童還國潛遣人　告崔氏女

曰　若能入而國武庫　割破鼓角　則我以禮迎　不

然則否

―『三國史記』

1. 한자 및 구문 설명

沃沮 : 함경도 일대에 있던 고대 국가.

北國 : 여기서는 '고구려'의 의미.

妻 : 여기서는 '시집보내다'의 의미.
　　① 아내 처　　　　　　② 시집보내다 처

潛 : 여기서는 '몰래'의 의미.
　　① 자맥질할 잠　　　② 몰래 잠

若 : 여기서는 '만약'의 의미.
　　① 만약 약　　　　　② 너 약

否 : 아닐 부

2. 기초한자 어원 및 활용

1) 愛 : 사랑 애

마음(心)이 끌려서 걸어가다(夂) 고개를 돌려(爫) 다시 상대방을 보는
모양을 본뜸.
활용 단어 : 愛情, 愛人, 愛慕, 戀愛

2) 性 : 성품 성

마음 심(心)과 날 생(生)을 결합한 형성자.
활용 단어 : 性別, 性格, 個性, 特性

* '心'字가 부수로 쓰인 글자
思(생각할 사), 想(생각할 상), 忌(꺼릴 기), 恩(은혜 은), 戀(사랑할 련)
忘(잊을 망), 悲(슬플 비), 恨(한할 한), 恕(용서할 서), 愁(시름 수)

3. 고사성어

- 斷腸

  『世說新語』「黜免篇」에 나온다. 어미 원숭이가 새끼 원숭이와 떨어지게 되자 그 슬픔에 창자가 끊어졌다는 고사에서 유래하였다. 창자가 끊어질 정도로 이별의 슬픔이 큼을 나타낸다.

- 輾轉反側

  그리움에 잠을 못 이루고 이리저리 뒤척인다는 뜻.

- 寤寐不忘

  『詩經』「關雎」에서 유래하였다. 자나 깨나 잊지 못한다는 의미로 사랑하는 사랑을 그리워하여 잠 못 들거나 근심이나 생각이 많아 잠 못 드는 것을 의미한다.

- 雲雨之情

  남녀 간에 육체적인 사랑.

- 巫山之夢

  『文選』에 수록된 송옥의 「高唐賦」에서 유래한 말이다. 어떤 왕이 꿈속에서 巫山의 아름다운 여인과 운우의 정을 나누었다는 데서 남녀 간의 情交를 가리키는 말로 사용되었다.

- 會者定離

  만난 것은 헤어지기 마련이다. (去者必反)

4. 명언 및 한시

1) 명언

- 糟糠之妻不下堂

  『後漢書』「宋弘傳」에서 유래한 말로 술지게미와 쌀겨를 먹으며 가난을 함께 한 아내는 내보낼 수 없다는 의미다.

- 世皆無常 會必有離

  『遺教經』에서 유래한 말로 세상은 모두 무상하니 만나면 반드시 이별이 있다는 의미다.

2) 한시

<折花行> — 李奎報

牡丹含露眞珠顆	모란 꽃 이슬 머금어 진주알 같은데
美人折得窓前過	신부가 모란을 꺾어 창가를 지나다
含笑問檀郎	빙긋이 웃으면서 신랑에게 묻기를
花强妾貌强	꽃이 예쁜가요 제가 예쁜가요
檀郎故相戲	신랑이 일부러 장난치느라
强道花枝好	꽃이 당신보다 더 예쁘네요 하네
美人妬花勝	신부는 꽃이 낫다하니 질투하여
踏破花枝道	꽃가지를 밟아버리고 말하기를
花若勝於妾	꽃이 저보다 나으면
今宵花同宿	오늘밤 꽃하고나 주무세요

黃眞伊와 蘇世讓

　　당대의 문장가 蘇世讓은 松都의 명기 黃眞伊가 재색을 겸비하였다는 소문을 들었다. 소세양은 비록 황진이가 이름이 높지만 한 달 기한으로 그녀와 사랑을 나누고 나면 미련 없이 떠나리라고 친구들에게 호언장담하였다. 소세양은 송도에 도착하여 황진이에게 榴(석류나무 류) 단 한자만 적혀있는 편지를 보낸다. 이 편지를 본 황진이도 역시 漁(고기잡을 어) 한자로 된 답장을 써서 보냈다. 榴字는 그 훈과 음을 한자로 적으면 '碩儒那無遊[석유나무유]'가 되어 '큰선비가 여기 있는데, 어찌 놀지 않겠는가?'라는 뜻이 된다. 황진이의 답장인 漁字 역시 그 훈과 음을 한자로 적으면 高妓自不語[고기자불어]가 되어 '높은 기생은 스스로 말하지 않는다.'는 뜻으로 풀이된다.

　　소세양은 황진이와 함께 꿈같은 한 달을 보낸 후 누각에 올라 이별주를 나눈다. 황진이는 이별을 슬퍼하는 기색을 조금도 보이지 않고 "당신과 이별하며 어찌 한마디 말이 없을 수 있겠습니까? 원컨대 拙句를 올리고자 하오니 괜찮겠습니까?"라고 말한다. 소세양이 응낙하자 황진이는 詩 한편을 읊었다.

奉別蘇判書世讓

月下梧桐盡	달빛 아래 오동잎 모두 지고
霜中野菊黃	서리 맞은 들국화는 노랗게 피었구나.
樓高天一尺	누각은 높아 하늘에 닿고
人醉酒千觴	오가는 술잔은 취하여도 끝이 없네.
流水和琴冷	흐르는 물은 거문고와 같이 차고
梅花入笛香	매화는 피리에 서려 향기로워라.
明朝相別後	내일 아침 님 보내고 나면
情與碧波長	사무치는 정 물결처럼 끝이 없으리.

　　소세양은 시를 듣고 나서 '나는 사람이 아니다.'고 하며 황진이의 시에 화답하고 친구들과의 약조를 저버린 채 그녀 곁에 더 머물렀다고 한다.

連理枝 比翼鳥

　　한 나무의 가지가 다른 나무의 가지와 서로 맞닿아 결이 통한 것을 連理枝라고 한다. 이것은 화목한 부부나 남녀를 가리키며, 부부가 손을 다정히 잡고 그 나무를 쓰다듬으면 연리지처럼 다정한 부부가 된다고도 한다. 서로 다른 몸체를 가진 나무가 자라서 가지가 맞닿아 연결된 것이니, 서로 다른 남자와 여자가 만나 한 몸처럼 살기를 바라는 기원을 뜻한다. 이 말은 『後漢書』 「蔡邕傳」에 나오는 이야기이다.

　　중국 後漢 말의 문인인 채옹은 효성이 지극하기로 소문이 나 있었다. 채옹은 어머니가 병으로 자리에 눕자 삼 년 동안 옷을 벗지 못하고 간호해드렸다. 마지막에 병세가 악화되자 백일 동안이나 잠자리에 들지 않고 보살피다가 끝내 돌아가시자 무덤 곁에 초막을 짓고 시묘살이를 했다. 그 후 채옹의 방 앞에 두 개의 싹이 나더니 점점 자라서 가지가 서로 맞붙어 자라기 시작하였다. 결국 나무가지가 이어지더니 마침내 한 그루처럼 되었다. 사람들은 이를 두고 채옹의 효성이 지극하여 한 몸이 된 것이라고 말했다. 이후 화목한 부부나 남녀를 가리키는 말로 쓰이게 되었다.

　　比翼鳥는 중국에서 암컷과 수컷 한 쌍이 한 몸이 되어 난다는 전설상의 새이다. 암컷과 수컷의 눈과 날개가 각각 하나씩이어서 나란히 짝을 지어야만 날아갈 수 있다고 한다. 이로 인해 부부가 화합하여 한 몸처럼 살라는 축원의 의미로 '比翼鳥처럼 살라.'는 말을 한다.

　　중국 唐나라의 시인 白居易는 당현종과 양귀비의 사랑을 읊은 시 <長恨歌>에서 이렇게 읊고 있다.

七月七日長生殿	7월 7일 장생전에서
夜半無人私語時	깊은 밤 사람들 모르게 한 약속
在天願作比翼鳥	하늘에서는 비익조 되기를 원하고
在地願爲連理枝	땅에서는 연리지 되기를 원하네.
天長地久有時盡	넓고 넓은 하늘과 땅도 다할 때가 있건만
此恨綿綿無絶期	이 한은 면면이 끊이질 않네.

원이 엄마의 편지

1998년 4월 경상북도 안동시 정상동 일대에 주택 단지를 조성하기 위해 묘지를 이장하던 중, 1586년에 31세의 나이에 죽은 李應台의 미라가 발견되었다. 무덤에는 이응태의 미라 외에도 이응태의 妻가 남긴 편지와 그녀의 머리카락과 삼으로 만든 미투리가 함께 나와 세간을 놀라게 했다. 이응태는 아내와 뱃속의 아이, 어린 아들, 부모형제를 두고 이른 나이에 세상을 떴다. 이응태의 처 '원이 엄마'는 애통한 마음을 담아 절절한 한글 편지를 남편의 묘에 함께 넣는다. 그 내용은 아래와 같다.

원이 아버님께

당신 언제나 나에게 "둘이 머리 희어지도록 살다가 함께 죽자"고 하셨지요. 그런데 어찌 나를 두고 당신 먼저 가십니까? 나와 어린아이는 누구의 말을 듣고 어떻게 살라고 다 버리고 당신 먼저 가십니까? 당신 나에게 마음 어떻게 가져왔고 또 나는 당신에게 어떻게 마음을 가져왔나요? 함께 누우면 언제나 나는 당신에게 말하곤 했지요. "여보, 다른 사람들도 우리처럼 서로 어여삐 여기고 사랑할까요? 남들도 정말 우리 같을까요?" 어찌 그런 일들 생각하지도 않고 나를 버리고 먼저 가시는가요?

당신 없이는 아무리 해도 나는 살 수 없어요. 빨리 당신께 가고 싶어요. 나를 데려가주세요. 당신을 향한 마음 이승에서 잊을 수 없고, 서러운 뜻 한이 없습니다. 내 마음 어디에 두고 자식 데리고 당신을 그리워하며 살 수 있을까 생각합니다. 이내 편지보시고 내 꿈에 와서 말해주세요. 꿈속에서 당신 말을 자세히 듣고 싶어서 이렇게 써서 넣어 드립니다.

당신 내 뱃속의 자식 낳으면 보고 말할 것 있다 하고 그렇게 가시니 뱃속의 자식 낳으면 누구를 아버지라 하라는 거지요? 아무리 한들 내 마음 같으며 이런 슬픈 일이 하늘 아래 또 있겠습니까? 당신은 한갓 그곳에 계실 뿐이지만 아무리 내 마음 같이 서럽겠습니까? 한도 없고 끝도 없어 다 못 쓰고 대강 적습니다. 이 편지 보시고 내 꿈에 와서 자세히 보여주고 또 말해 주세요. 나는 꿈속에 당신을 볼 수 있다고 믿습니다. 몰래 와서 보여주세요. 하고 싶은 말이 끝이 없어 이만 적습니다. (임세권 현대어로 옮김)

법률과 형벌

術者 因任而授官 循名而責實 操殺生之柄 課
群臣之能者也 此人主之所執也 法者 憲令著於
官府 刑罰必於民心 賞存乎愼法 而罰加乎姦令
者也 此臣之所師也 君無術 則弊於上 臣無法
則亂於下 此不可一無 皆帝王之具也

－『韓非子』<定法>

1. 한자 및 구문 설명

者 : 놈 자(術者, 法者에서는 '~라 하는 것'의 뜻임)

因任 : 부담할 수 있는 능력에 따라 일을 맡김.

循名 : 일을 하겠다고 내건 말 그대로 결과를 따짐.

柄 : 자루 병

此 : 이 차(지시대명사로 앞에 나온 일이나 사물을 가리킨다)

著 : 드러날 저

姦令 : 명령을 지키지 않음 姦은 犯 또는 干과 같은 뜻임.

則 : 여기서는 가정형으로 '~하면'의 뜻임.

　　① ~하면(가정형) : 水至淸則無魚 人至察則無徒

　　② 바로, 곧 : 此則寡人之罪也

　　③ 겨우, 단지 : 口耳之間 則四寸耳

2. 기초한자 어원 및 활용

法 (법 법)			
갑골문	금문	소전	해서
灋	泮	法	

刑 (형벌 형)			
갑골문	금문	소전	해서
㓝	荆	㓝	刑

1) 法 : 법 법

물가[氵]에서 해치[廌 : 후에 생략됨]가 죄를 지은 사람에게 달려가서
[去] 뿔로 받는 모양.
활용 단어 : 法律, 法治, 法學, 憲法, 商法

2) 刑 : 형벌 형

감옥[井] 안에 죄인이 칼[刂=刀]을 쓰고 있는 모양.
활용 단어 : 刑罰, 刑期, 量刑, 死刑, 受刑

* '法'과 관련된 글자
律(법률 률), 憲(법 헌), 則(법칙 칙), 度(법도 도), 令(명령할 령)
權(저울질할 권), 銓(저울질할 전), 衡(저울대 형)

3. 고사성어

- 泣斬馬謖
  '제갈공명이 울면서 마속을 벤다.'는 뜻으로 엄정한 법집행을 의미.

- 一罰百戒
  손무가 규율을 세우기 위해 오왕 부차의 총희를 벤 고사에서 유래한 말로, 한 사람을 본보기로 처벌한다는 뜻임.

- 約法三章
  정치를 행하는 사람이 법률을 간략화하여 최소한의 법률 시행을 약속함.

- 變法自彊
  옛 제도를 고쳐서 새롭게 하여 스스로를 강화시킴을 뜻함.

- 信賞必罰
  상벌을 규정대로 분명하게 함.

- 大義滅親
  석작이 아들 석후를 죽인 고사에서 유래한 것으로 대의를 위하여 혈육의 정을 희생시킨다는 뜻임.

- 改過遷善
  지난날의 잘못이나 허물을 고쳐 올바르고 착하게 됨.

- 勸善懲惡
  착한 일을 권장하고 악한 일을 징계함.

4. 명언 및 한시

1) 명언

- 禮不下庶人 刑不上大夫
  예는 아래로 서민에게는 미치지 않고, 형벌은 위로는 대부에게 미치지 않는다.

- 當官之法 唯有三事 曰清曰愼曰勤
  관리된 자가 지켜야 할 법은 오직 세 가지가 있으니 청렴과 신중과 근면이다.

2) 한시

<何潭別> － 丁若鏞

父兮知不知	아버님 아십니까 모르십니까.
母兮知不知	어머님 아십니까 모르십니까.
家門欻傾覆	우리 가문이 갑자기 뒤집혀서
死生今如斯	생사가 지금 이와 같이 되어버렸어요.
殘喘誰得保	제 목숨은 겨우 부지했지만
大質嗟已虧	육신은 슬프게도 망가졌어요.
兒生父母悅	아이를 낳아 부모님 기뻐하시고
育鞠勤携持	기를 적에 정성을 다하셨지요.
謂當報天顯	마땅히 천륜의 공을 보답하라 하셨지
豈意招芰夷	어찌 유배가리라 생각하셨겠어요.
幾令世間人	세상 사람들에게 바라느니
不復夏生兒	다시는 아이 낳았다고 기뻐하지 마오.

흥부의 매품팔이

조선 시대 형벌 중에는 직접 신체를 때리는 형벌이 있었다. 그러나 양반들에게는 이 형벌을 면할 수 있는 편법이 있었으니 이른바 '매품팔이'를 고용하는 방법이었다. 조선 후기에 이르면 신분제도의 혼란 속에 족보를 구입한 가짜 양반이 속출하게 되고 양반 체면에 직접 매를 맞을 수는 없다는 명분과 부패관리의 묵인 하에 돈을 받고 매를 대신 맞아주는 '매품팔이'라는 신종 직업이 생겨난다. 이를 한자어로는 代杖이라고 한다. 흥부전에 그 양상이 잘 드러나고 있다. 판소리 흥보가로 보면 더욱 생동감이 넘친다.

흥보가 대문을 열고 썩 들어가매 "여 호방 계신지 모르제." 호방이 나오며 "여 박생원 아니시오?" "호방에게 아쉬운 말 할 일이 있어서 왔는데 들어주실란지 모르제." "아 무신 말씀이오?" "거 환자 한 섬만 주게. 거 환자 한 섬만 주면 어린 자식들 구환하고 내 가실에 가서 소매동냥이라도 해가지고 내 착실히 갚아줄 터이니, 거, 환자 한 섬만 주세." "아 박생원 형님이 천석꾼 부자인디 환자를 자시다니? 아 그게 무슨 말씀이오? 그럴 게 아니라 품 한번 팔아볼라요?" "아 돈생길 품 같으면 내 팔고말고. 무신 품인가 어서 말 좀 해 보소." "다른 게 아니라 우리 골 좌수가 병영 영문에 잡혔는디 좌수 대신으로 곤장 열 대만 맞으면 곤장 한 개에 돈이 석 냥씩 해서 삼십 냥은 곱아논 돈이요, 말 타고 가라고 해서 마삯 닷 냥까지 딱 지정해놨으니 그 품 좀 팔아볼라요?" 흥보가 돈 말을 듣더니 어떻게 좋던지 "내 팔 터이니 그 돈 닷 냥 얼른 이리 주오."

이렇게 흥부는 매품 팔러 가지만 운이 없는 사람은 뒤로 넘겨져도 코가 깨진다고 나라에서 사면령을 내려 매품도 팔지 못하는 신세가 되고 만다. 몸을 다치지 않아 일견 다행으로도 보이지만 돈을 벌지 못하고 풀이 죽어 귀가하는 흥부의 신세는 처연하기까지 하다. 그러나 조선조 민담 중에 매품 팔다 죽은 사람의 이야기와 매를 대신 맞다 죽을 뻔한 이야기가 종종 있는 것을 보면 매품팔이는 대단히 위험한 일임에 분명하다. 그럼에도 불구하고 매품팔이가 성행한 점은 백성들의 삶이 곤궁했으며 형벌이 공평하지 않았음을 방증하는 주요한 사례라 할 수 있다.

朝鮮時代 刑罰

조선시대의 형벌은 笞刑, 杖刑, 徒刑, 流刑, 死刑의 5형을 기본으로 하였고, 형률의 적용에 있어서 관리에 의한 자의를 방지하고 남형을 금지하기 위한 감독 체제를 강화하였다. 笞刑은 죄수를 형대에 묶은 다음 하의를 내리고 둔부를 노출시켜 대수를 세어가면서 집행하는데, 부녀자의 경우에는 옷을 벗기지 않으나 간음한 여자에 대해서는 옷을 벗기고 집행하였다. 杖刑은 태형보다 중한 벌로서 큰 회초리로 집행한다. 형벌을 행할 때에 있어서 남형의 폐가 가장 많았던 것이 이 장형이었는데 집행관의 자의가 개입하기 쉽기 때문이었다. 徒刑은 오늘날의 징역형에 해당하는 것으로 도형 기간 동안 관아에 구금하여 두고 일정한 노역에 종사시키는 자유형의 일종이다. 그리고 도형 대신 군역에 복무시키는 充軍이라는 제도가 있었는데, 이는 주로 군인이나 군관계의 범죄에 대하여 적용하였다. 流刑은 중죄를 범한 자에 대하여 먼 지방으로 귀양 보내어 죽을 때까지 고향으로 돌아오지 못하게 하는 형벌이다. 유형은 조선시대 전반에 걸쳐 널리 행하여지던 형벌로서 도형과는 달리 기간이 정해지지 않았다. 그러므로 임금의 사령, 또는 소결 등의 왕명에 의해서만 특별히 석방될 수 있었다. 특히 조선시대 정치의 주도권을 둘러싸고 전개된 당쟁은 많은 정치범을 낳게 하였는데, 사형을 면한 대부분의 정치범들은 유형으로 처벌되었다. 死刑은 형벌 중에서 극형에 해당하는 것으로 조선시대에는 絞刑과 斬刑의 2종으로 정하였다. 교형은 신체를 온전한 상태로 두고 목을 졸라 죽이는 것이며,

참형은 보통 신체에서 머리를 잘라 죽이는 것이다. 그렇지만 대역 사건의 국사범이나, 특히 일반 백성들이 경계할 필요가 있는 반도덕적 범죄인에게 대해서는 五殺, 戮屍, 車裂 등 여러 가지 잔인한 방법으로 참형되었다. 사형을 집행한 다음 위협의 효과를 거두기 위해 죄수의 머리나 시체를 매달아 여러 사람에게 보여주는 것을 梟首라고 하였다.

商君의 法

    公孫鞅은 衛나라 왕의 소실에게서 태어나 차별대우 속에서 어린 시절을 보냈다. 그는 秦孝公에게 발탁되어 國相에 임명되었다. 진나라 사람들은 공손앙이 衛나라 출신이어서 위앙이라 불렀다. 그는 10년 동안 국상으로 재임하면서 새로운 법을 추진하여 진나라의 세력을 크게 강화시켰다. 공손앙의 업적을 표창하기 위해 진효공은 商 지방의 땅 15읍을 그에게 하사하였다. 이 때문에 그를 商君으로 호칭하였고, 상앙이라 부르기도 한다. 상앙이 처음 새로운 법을 정하였을 때, 백성들이 이를 믿지 않을까 걱정하였다. 그는 세 길이나 되는 나무를 남문에 세우고 이를 북문으로 옮기는 사람에게 십 금을 주겠다고 포고했다. 백성들은 이 포고문을 믿지 않아 옮기려는 사람이 없었다. 상앙이 다시 오십 금을 상금으로 내걸자, 한 사나이가 나타나서 그 나무를 북문으로 옮겼다. 상앙은 즉시 그에게 상금을 주어 법이 거짓이 아님을 보였다. 이러한 방법을 동원하여 保守派와 투쟁하면서 형법·가족법·토지법 등 여러 방면에 걸친 대개혁을 단행하였다. 이때 太子가 법을 어기는 일이 발생하였다. 상앙은 법이 잘 지켜지지 않은 것이 상류층 사람들이 범법하기 때문이라고 생각하고 태자를 처벌하려 했다. 그러나 왕위를 계승할 태자를 벌할 수가 없어서 그의 보좌관인 공자 건과 그의 스승인 공손가를 刺字刑에 처하였다. 소문이 퍼지자 사람들은 공포심 때문에 개혁법령을 준수하였다. 그러나 태자는 상앙에 대한 분노를 간직하고 집권 후에 복수할 것을 다짐하였다.

    상앙이 진나라 재상에 오른 지 10년이 되었다. 왕실의 일족이나 외척 중에는 그를 원망하는 자가 많았다. 이 때 진효공이 죽고 태자가 즉위하여

惠公이라 칭했다. 그는 상앙에 대한 보복 기회를 노리고 있었는데 때마침 공자 건의 무리가 상앙이 반란을 획책한다고 밀고했다. 상앙은 체포 직전 간신히 도망하여 국경 부근인 함곡관에 이르렀다. 그가 여관에 투숙하려 하자, 여관 주인은 숙박을 거절하며 이렇게 말했다. "상군의 법에 여행증명이 없는 자

를 숙박시키면 처벌을 받게 된다고 하였습니다." 상앙은 길게 한숨을 내쉬
며 말했다. "아, 법을 만든 폐해가 이렇게 혹독할 줄이야." 그곳을 떠나 魏
나라로 갔던 상앙은 그곳 사람들에게 붙잡혀 진나라로 송환당할 위기에
처한다. 그는 자신의 봉지인 商으로 탈출해 군사를 규합하여 鄭나라로 출
격했다. 그러나 진혜왕이 상앙의 군대를 토벌하고 그를 사살하였다. 진혜
왕은 그의 시체를 車裂刑에 처하고 일족을 멸했다.

정치와 국가

> 王曰吾惛　不能進於是矣　願夫子　輔吾志　明以
> 教我　我雖不敏　請嘗試之　曰無恒産而有恒心者
> 惟士爲能　若民則無恒産　因無恒心　苟無恒心
> 放辟邪侈　無不爲已　及陷於罪然後　從而刑之
> 是罔民也　焉有仁人在位　罔民而可爲也
>
> ─『孟子』〈梁惠王篇〉

1. 한자 및 구문 설명

惛 : 어두울 혼

願 : 원할 원(원컨대)

雖 : 비록 수(비록 ~할지라도)

恒産 : 일정하게 고정된 재산.

恒心 : 외부 상황과 관계없이 변하지 않는 일정한 마음.

惟 : 오직 유

苟 : 진실로 구(만약 ~ 한다면)

乎 : 어조사 호(감탄형으로 쓰임)

是何 : 어찌하여

罔民 : 백성에게 그물질하는 것.

焉 : 여기서는 '어찌'의 의미로 쓰임.
　　① 그곳에(於之) : 心不在焉
　　② 어찌(의문부사) : 不知生 焉知死
　　③ ~이다(단정 종결사) : 生而有好利焉
　　④ ~인가 : 肉食者謀之 又何間焉

仁人 : 어진 사람

2. 기초한자 어원 및 활용

政 (정사 정)			
갑골문	금문	소전	해서

治 (다스릴 치)			
갑골문	금문	소전	해서

1) 政 : 정사 정

음을 나타내는 바를 정(正)과 두드릴 복(攵=攴)이 결합한 형성자. 음을 나타내는 正은 바르다는 뜻으로, 政은 不正한 것을 편달하여 바로 잡는다는 뜻임.

활용 단어 : 政策, 政府, 政權, 行政, 聯政

2) 治 : 다스릴 치

물 수(水=氵)와 음을 나타내는 기쁠 이(台; '별 태'로도 읽힘)가 합하여 이루어짐. 물(水)의 범람 때문에 생긴 피해를 잘 수습한다는 뜻이 합하여 '다스리다'를 뜻함.

활용 단어 : 治療, 治産, 難治, 統治, 法治

* '氵'字가 부수로 쓰이는 한자

河(물 하), 洗(씻을 세), 浦(나루터 포), 洋(바다 양), 濫(넘칠 람), 渡(건널 도), 汩(빠질 골), 溫(따뜻할 온), 漂(떠돌 표), 澤(못 택), 濯(씻을 탁), 溺(빠질 닉)

3. 고사성어

- 苛政猛虎
  『禮記』에 나오는 공자의 일화에서 유래한 말이다. 가혹한 정치는 호랑이보다 더 무섭다는 뜻.

- 塗炭之苦
  '도탄에 빠지다.'라는 뜻으로, 민생고가 극심한 지경에 이른 상황을 비유함.

- 先憂後樂
  '천하의 모든 사람이 근심하기에 앞서 먼저 근심하고 천하의 모든 사람이 다 즐거워한 뒤에 즐거워한다.'는 뜻으로 관료가 가져야 할 자세를 말함.

- 弘益人間
  널리 인간을 이롭게 함. 단군의 건국 이념으로서 우리나라 정치, 교육, 문화의 최고 이념임.

- 惑世誣民
  세상을 어지럽히고 백성을 미혹시켜서 속임.

- 事必歸正
  올바르지 못한 것이 잠시 기승을 부리는 것 같지만 결국 오래가지 못하고, 마침내 올바른 것이 이기게 되어 있음을 가리키는 말.

- 指鹿爲馬
  진나라의 환관인 조고가 황제인 호해를 농락하여 '사슴을 가리켜 말이라 한다.'는 일화에서 유래한 말이다. 윗사람을 농락하고 권세를 함부로 부리는 것을 비유한 말.

4. 명언 및 한시

1) 명언

- 下民易虐 上蒼難欺

  아래에 있는 백성은 학대하기가 쉽지만, 위에 있는 푸른 하늘은 속이기 어렵다.

- 愛民之本 在於節用

  백성을 사랑하는 근본은 절용에 있다.

- 王者以民爲天 民以食爲天

  왕은 백성을 하늘로 여기고, 백성은 밥을 하늘로 여긴다.

2) 한시

<斫梅賦> ― 魚無迹

世之馨香之君子	세상에는 향기 나는 좋은 지도자 없고
時務蛇虎之苛法	지금은 뱀과 호랑이 같은 가혹한 법에만 힘쓴다.
慘已到於伏雌	참혹함은 이미 숨어 사는 새에게로 이르고
政又酷於童羖	정치는 뿔 없는 양들에게 더욱 참혹하다.
民飽一盂飯	백성이 한 사발 밥에 배부르면
官饞涎而齎怒	관리는 침을 흘리며 성을 낸다네.
民暖一裘衣	백성이 한 벌 솜옷으로 따뜻하면
吏攘臂耳剝肉	아전은 팔을 걷어붙이고 살까지 벗긴다네.
使余香掩野殍之魂	나의 향기로 들판에 굶어죽은 영혼을 덮어주고
花點流民之骨	꽃잎으로 떠도는 백성의 백골에 뿌려지게 하라.
(… 後略 …)	

焚書坑儒

중국 진시황이 서적을 불사르고 유생을 구덩이에 묻어 죽인 사건을 말한다. 秦나라 始皇帝가 군현제를 실시한 지 8년이 되는 해(B.C. 213) 어느 날, 시황제가 베푼 咸陽宮의 잔치에서 博士인 淳于越이 '현행 군현제 하에서는 황실의 무궁한 안녕을 기하기가 어렵다.'며 봉건제도로 바꿀 것을 진언했다. 이 때 시황제가 신하들에게 순우월의 의견에 대해 可否를 물었다. 그러자 군현제의 立案者인 승상 李斯는 "봉건시대에는 제후들 간에 침략전이 끊이지 않아 천하가 어지러웠으나 이제는 통일되어 안정을 찾았고, 법령도 모두 한 곳에서 發令되고 있습니다. 하오나 옛 책을 배운 사람들 중에는 그것만을 옳게 여겨 새로운 법령이나 정책에 대해서는 비난하는 선비들이 있습니다. 하오니 차제에 그러한 선비들을 엄단하심과 아울러 백성들에게 꼭 필요한 醫藥·卜筮·種樹에 관한 책과 秦나라 역사책 외에는 모두 수거하여 불태워 없애 버리소서."라고 진언했다. 시황제가 李斯의 의견을 받아들임으로써 관청에 제출된 희귀한 책들이 속속 불태워졌는데, 이 일을 가리켜 '焚書'라고 한다.

그 이듬해(B.C. 212) 阿房宮이 완성되자 시황제는 불로장수의 神仙術法을 닦는 方士들을 불러들여 후대했다. 그들 중에서도 특히 盧生과 侯生을 신임했으나 두 方士는 많은 재물을 詐取한 뒤, 시황제의 不德을 비난하며 종적을 감춰 버렸다. 시황제가 분노한 것은 당연했다. 그런데 그 진노가 채 가시기도 전에 이번에는 市中의 염탐꾼을 감독하는 관리로부터 "폐하

를 비방하는 선비들을 잡아 가두어 놓았습니다."라는 보고가 올라왔다. 시황제의 노여움은 극에 달했다. 엄중히 심문한 결과 연루자가 460명이나 되었다. 시황제는 자기를 비방한 460명의 儒生들을 모두 산 채로 각각 구덩이에 파묻어 죽였는데, 이 일을 가리켜 '坑儒'라고 한다.

緣木求魚

'나무에 올라 물고기를 구한다.'는 뜻으로 불가능한 일을 하려고 한다는 말이다. 이 고사는 『孟子』<梁惠王篇>에서 그 유래를 찾을 수 있다.

전국시대인 周나라 愼靚王 3년(B.C. 318) 때였다. 梁나라 惠王과 작별한 孟子는 齊나라로 갔다. 당시 나이 50이 넘은 孟子는 제후들을 찾아다니며 仁義를 치세의 근본으로 삼는 王道政治論을 遊說 중이었다. 孟子가 齊나라 宣王에게 "전하의 大望이란 무엇입니까?"라고 물었다. 이에 선왕은 웃기만 할 뿐 입을 열려고 하지 않았다. 맹자 앞에서 覇道를 논하기가 쑥스러웠기 때문이었다.

그래서 맹자는 짐짓 "전하, 맛있는 음식과 따뜻한 옷, 아니면 아름다운 色이 부족하시기 때문입니까?"라는 질문을 던졌다. 선왕은 "과인에겐 그런 사소한 욕망은 없소."라고 대답했다. 맹자는 "그러시다면 전하의 대망은 천하를 통일하시고 사방의 오랑캐들까지 복종케 하시려는 것이 아닙니까? 하오나 종래의 무력으로는 천하통일을 이루려 하시는 것은 마치 '나무에 올라 물고기를 구하는 것[緣木求魚]'과 같습니다."라고 말했다. 선왕은 깜짝 놀라서 "아니, 그토록 무리한 일이오?"라고 물었다. 맹자는 "오히려 그

보다 더 심합니다. 나무에 올라 물고기를 구하는 일은 물고기만 구하지 못할 뿐 後難은 없습니다. 하오나 覇道를 좇다가 실패하는 날에는 나라가 멸망하는 재난을 면치 못할 것입니다."라고 대답했던 것이다. 이 비유가 바로 '緣木求魚'의 고사이다. 맹자는 적절한 예를 들어 설명하기를 좋아했고, 이 방법은 그의 정연한 논리를 펼치는 데는 더없이 효과적이었다.

哀絶陽 - 丁若鏞

蘆田少婦哭聲長	갈밭 마을 젊은 아낙 울음도 서러워라.
哭向懸門呼穹蒼	현문(縣門) 앞 달려가 통곡하다 하늘보고 울부짖네.
夫征不復尚可有	전쟁 나간 지아비 돌아오지 못한 일이야 그래도 있을 법하지만
自古未聞男絶陽	사내가 제 양물을 잘랐단 소리 예로부터 듣도 보도 못하였네.
舅喪已縞兒未澡	시아버지 삼년상 벌써 지났고 갓난아인 배냇물도 안 말랐는데
三代名簽在軍保	이 집 삼대의 이름이 모두 다 군적에 실렸구나.
薄言往愬虎守閽	관가에 억울한 사정 호소하려고 범 같은 문지기 버티어 섰는데
里正咆哮牛去皁	이정(里正)은 으르렁대며 외양간의 소마저 끌어갔다오.
朝家共賀昇平樂	조정에선 모두 태평의 즐거움을 하례하였는데
誰遣危言出布衣	누구를 보내 위태로운 말로 포의를 내쫓는가.
磨刀入房血滿席	칼을 갈아 방안으로 들어가더니 선혈이 자리에 낭자하구나.
自恨生兒遭窘厄	스스로 부르짖길 "자식 낳은 죄로다!"
蠶室淫刑豈有辜	잠실궁형이 또한 지나친 형벌이고
閩囝去勢良亦慽	민땅의 어린애 거세하던 풍속 참으로 가엾은 일이었거든
生生之理天所予	자식 낳고 사는 건 하늘이 내린 이치
乾道成男坤道女	하늘 땅 어울려서 아들 되고 딸 되는 것
騸馬豶豕猶云悲	말 돼지 거세함도 가엾다 이르는데
況乃生民恩繼序	하물며 대를 잇는 사람에 있어서랴.
豪家終歲奏管弦	부자집들 일 년 내내 풍악 울리고 흥청망청
粒米寸帛無所捐	이네들은 한 톨 쌀 한 치 베 내다 바치는 일 없거니
均吾赤子何厚薄	다 같은 백성인데 이다지 불공평하니
客窓重誦鳲鳩篇	객창에 우두커니 앉아 시구편을 거듭거듭 읊노라.

　　이것은 가경 계해년(1803) 가을 강진에 있을 때 지은 시이다. 갈밭 마을에 사는 한 백성이 아이를 낳은 지 사흘 만에 군보에 등록되고 이정이 소를 빼앗아 가니 그 사람이 칼을 뽑아 자기의 생식기를 자르면서 '내가 이것 때문에 곤액을 당한다.'고 말했다. 그 아내가 생식기를 관가에 가지고 가니 피가 아직 뚝뚝 떨어지는데 울며 하소연했으나 문지기가 막아 버렸다. 듣고 이 시를 지었다.

국난과 충신

今臣戰船尙有十二 出死力拒戰 則猶可爲也 今
若全廢舟師　　則是賊之所以爲幸而由湖右達於
漢水　此臣之所恐也　戰船雖寡　微臣不死　則賊
不敢侮我矣

－『亂中日記』

1. 한자 및 구문 설명

猶 : 오히려 유

舟師 : 수군을 달리 이르는 말.

湖右 : 湖西를 말함.

所 : 바 소(~하는 바)

由~達於 … : ~거쳐 …에까지 도달하다.

以爲 ~ : ~로 여기다.

雖寡 : 비록 적더라도

不敢 : 감히 ~ 하지 못한다.

2. 기초한자 어원 및 활용

國 (나라 국)			
갑골문	금문	소전	해서

忠 (충성 충)			
갑골문	금문	소전	해서

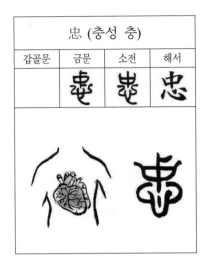

1) 國 : 나라 국

마을[口]에 빗장[一]을 걸어 놓고 창[戈]을 들고 지키는 모양에 국경[囗]
을 의미하는 모양을 더하여 만든 한자.
활용 단어 : 國旗, 國歌, 國民, 祖國, 他國, 愛國

2) 忠 : 충성 충

마음[心] 속[中]에서 우러나오는 진실된 마음을 나타내는 모양.
활용 단어 : 忠告, 忠誠, 忠實, 顯忠日

* '或'字가 공통적으로 들어간 글자.

或(혹시 혹) : 或是, 或者　　　惑(미혹할 혹) : 疑惑, 迷惑
域(지경 역) : 領域, 廣域　　　國(나라 국) : 國家, 國土

3. 고사성어

- 累卵之危
  계란을 쌓아 놓은 듯이 위태로운 상황.

- 進退兩難
  나갈 수도 물러설 수도 없는 상황.

- 百尺竿頭
  '백 자나 되는 높은 장대 끝'이라는 뜻으로, 매우 위태롭고 어려운 지경.

- 風前燈火
  '바람 앞의 등불'이란 뜻으로, 곧 끊어질 것 같은 위태로운 상황.

- 焦眉之急
  눈썹이 그을리게 될 만큼 급박한 상태.

- 內憂外患
  내부에서 발생한 걱정거리와 밖으로부터 들어오는 근심거리.

- 四分五裂
  '갈기갈기 찢어진다.'는 뜻으로, 의견이나 지역이 여러 갈래로 갈라져 통일이 되지 못한다는 말.

- 百折不屈
  '백 번 꺾여도 굽히지 않는다.'는 뜻으로, 의지를 굽히지 않는 강인한 정신력을 비유함. (百折不撓)

4. 명언 및 한시

1) 명언

- 見利思義 見危授命

  이익을 보거든 정의를 생각하고, 위태로움을 보거든 목숨을 바쳐라.

- 迎斧鉞而正諫 據鼎而盡言 此謂忠臣也

  형벌이 닥쳐도 바른 길로 간하며, 솥에 넣어서 죽이려 하더라도 옳은 말을 다하면 이것이 충신이다.

2) 한시

<絶命詩> - 黃玹

亂離滾到白頭年	난리에 소나기처럼 빨리 온 백발의 나이
幾合捐生却未然	몇 번이나 죽으려 했으나 그러지 못했네.
今日眞成無可奈	이제는 더 어찌할 수 없게 되었소.
輝輝風燭照蒼天	휘황찬란한 바람 앞 촛불이 푸른 하늘 비추네.
妖氣掩翳帝星移	요기에 가려서 나라가 망했으니
九闕沉沉晝漏遲	대궐은 침침해지고 시간도 더디구나.
詔勅從今無復有	조칙도 지금부터 다시는 없을 것이니
琳琅一紙淚千絲	옥빛 조서에 눈물이 천 가닥 만 가닥.
鳥獸哀鳴海岳嚬	새와 짐승도 애달파 울고, 바다와 산도 찌푸리네.
槿花世界已沈淪	무궁화 세계 이미 망하고 말았네.
秋燈掩卷懷千古	가을밤 등잔 밑, 책 덮고 지난 역사 생각해보니
難作人間識字人	인간 세상 지식인 너무 어렵소.
曾無支厦牛椽功	일찍이 나라 위한 공적 조금도 없으니
只是成仁不是忠	다만 이 죽음 인을 이루었을 뿐 충은 행하지 못했네.
止竟僅能追尹殼	끝맺음이 겨우 윤곡을 따르는 것뿐이니
當時愧不躡陳東	당시에 진동을 따르지 못함이 부끄럽구나.

善竹橋

高麗王朝 말기에 李成桂를 중심으로 새로운 나라를 건국해야 한다고 주장하는 급진개혁파와 고려의 틀을 유지하면서 개혁을 진행해야 한다고 주장하는 정몽주 등의 온건개혁파가 서로 대립하고 있었다. 정몽주는 1392년 명나라에서 돌아오는 세자를 마중 나갔던 이성계가 사냥하다가 말에서 떨어져 黃州에 드러눕자 그 기회에 이성계 세력을 제거하려 했으나 이를 눈치 챈 李芳遠의 기지로 실패하였다. 이방원은 정몽주를 포함하여 반대파를 모두 죽여 없애자고 주장했는데, 이성계는 정몽주만은 어떻게 해서라도 자기편으로 만들어 보려고 했다. 이즈음 정몽주는 정세를 엿보려고 이성계를 찾아갔는데, 이방원이 마음을 한 번 떠보려고 詩 한 수를 짓자 정몽주가 화답하였다.

이런들 어떠하며 저런들 어떠하리.
만수산 드렁칡이 얽혀진들 어떠하리.
우리도 이같이 하여 백 년까지 누리리라. (이방원)

이 몸이 죽고 죽어 일백 번 고쳐 죽어
백골이 진토되어 넋이라도 있고 없고
임 향한 일편단심이야 가실 줄이 있으랴. (정몽주)

이방원은 정몽주가 자기 아버지를 임금으로 섬기지 않겠다는 뜻을 알고 정몽주를 죽여 없애기로 결심했다. 정몽주는 돌아오는 길에 성여완(두문동 72현 중의 한 명)의 집에 들러 술을 청해 몇 잔 연거푸 마셨다. 정몽주가 성여완의 집을 나설 때 한 무리의 무사들이 달려가는 광경을 보았다 한다. 정몽주는 말고삐를 잡고 따라오는 녹사에게 멀리 떨어져 오라하고 말을 거꾸로 타고 앉았다. 녹사는 정몽주가 술에 취해 그러는 줄로 알고 기어이 따라와 바로 앉으라고 하였는데, 정몽주는 "흉기를 휘두르는 사람이 보기 싫어 그러노라." 하고 답했다 한다.

정몽주는 그 자리에서 조영규 등의 철퇴에 맞아 숨지고, 녹사도 칼에 목숨을 잃었다. 정몽주는 말에서 떨어져 죽고 그의 피가 돌다리 밑으로 흘러내리더니 그 곳에서 파란 대나무가 솟아났다. 그래서 이때부터 그 돌다리 이름을 '善竹橋'라고 불렀다고 한다.

紅衣將軍

壬辰倭亂 당시 義兵將으로 맹활약한 郭再祐가 전장에서 언제나 붉은 군복을 입고 출전했기에 紅衣將軍이라 불리었다. 곽재우는 임진왜란이 일어난 지 9일째 되던 1592년 4월 22일 전국에서 최초로 의병을 일으켰다. 그는 "병사나 수령이라는 자들이 적을 보고 도망을 쳐도 감사는 군법을 시행치 아니하고 적이 左道에 있는데 스스로는 右道로 도망을 치니 이런 관군을 우리는 어떻게 믿겠는가. 이제 나라를 지키는 길은 우리 백성들이 일어나 싸우는 길 밖에는 도리가 없다."며 私財를 털어 義兵을 일으켰다.

곽재우는 싸움 때마다 뛰어난 智略으로 倭軍의 간담을 서늘하게 하였다. 특히 火旺山城 전투와 관련해서 전해오는 재미있는 逸話가 있다. 곽재우는 산성에 진을 치고는 의병들에게 베와 벌통을 모아 오라고 하고는 식량 궤짝을 여러 개 만들어서 그 안에 벌을 가득 채웠다. 그런 뒤에 새끼줄을 꼬아 줄을 치고 물들인 베를 걸어 놓고는 말을 탄 병사 수십 명을 그 앞에 돌아다니도록 하여 군사가 많아 보이게 하였다. 따로 모은 벌통은 산성 뒤에 늘어놓았다. 倭將은 군사들을 이끌고 산성 뒤로 쳐들어갔다가 궤짝들을 발견하고는 모두 한 곳에 모았다. 왜장은 "오랜만에 쌀밥 한 번 실컷 해먹고 싸우자."라고 말하고는 궤짝을 모두 뜯도록 하였는데, 그 때 궤짝 속에서 벌 떼가 쏟아져 나오자 倭軍의 진영은 수라장이 되었다. 그 때 숨어서 지켜보던 곽재우는 공격 명령을 내렸다. 벌에 쏘인 왜군들은 갈팡질팡하며 마구 쓰러졌고, 왜장은 많은 부하를 잃고 산 아래로 달아났다. 왜장은 이튿날 새벽 군사를 이끌고 다시 산으로 올라갔다. "이놈들이 또 벌통을 갖다 놓았군. 벌통을 몽땅 불 질러 버려라!"라고 왜장이 말했다. 벌통에 불이 붙자, 별안간 그것이 터져서 천지를 진동시켰다. "으악, 놈들이

이번에는 火藥을 넣어놓았다. 악!" 왜군들은 또 한 번 속아서 비명을 지르며 마구 쓰러졌다. 곽재우는 이것을 숨어서 지켜보다가 총공격 명령을 내렸다. 크게 패한 왜군들은 그 뒤부터 붉은 옷을 입은 곽재우만 보면 紅衣將軍이라 부르며 달아났다고 한다.

그러나 장군의 공적과 명성이 나날이 높아지자 地方官이 버리고 도망친 官穀과 兵器를 무단으로 이용했

다고 하여 간신들로부터 모함을 당하기도 한다. 전쟁 후에는 정치적 문제로 유배형에 처해지기도 하는데, 만년에는 가야산 해인사로 들어가 白蓮庵에 은거하여 속세를 떠난 삶을 살았다.

盡忠報國

　　악비는 송나라 상주 사람으로 천성이 충성스럽고 효성스러웠다. 처음 금나라 오랑캐가 쳐들어오자 자신은 고종을 모시고 황하를 건너 남경으로 피란하였지만, 아내는 집에 머무르게 하여 늙은 어머니를 봉양하게 했다. 그러나 하북 땅이 함락되었다는 소식을 듣고 사람을 보내서 어머니를 찾아 모셔오게 했는데, 여덟 번 만에야 겨우 어머니를 모시고 올 수 있었다. 하지만 이때 어머니는 이미 고령이어서 얼마 살지 못하고 세상을 떠났다. 악비는 장례를 마친 다음 무덤 곁에 여막을 짓고 살았다. 황제가 어찰을 3, 4 차례 보내어 부르니, 악비는 강개한 뜻을 가져 마음속으로 '내 반드시 중국 땅을 도로 찾고 나라의 원수를 갚고야 말 것이다.'라고 맹세하였다. 악비는 전쟁을 하다가 혹 형세가 위태로운 때를 당하면 군사들을 모아놓고 눈물을 흐리면서 맹세를 되새기곤 하였다. 악비는 전장이라도 황제가 계신 곳을 들으면 그쪽을 등지고 앉는 일이 없었다. 이러한 마음씨를 가지고 싸움을 치렀기 때문에 그가 치른 크고 작은 싸움 백여 번에 한 번도 진 일이 없었다.

　　고종은 정충이라는 두 글자를 쓴 깃발을 하사하여 그의 충성을 표창했다. 이때 재상 秦檜는 금나라와 화친할 의논을 하였다. 금나라 올출[兀朮]은 비밀리에 진회에게 편지를 보내어 반드시 악비를 죽이지 않으면 화의는 이루어지지 않으리라고 했다. 진회는 화평을 위하여 악비를 죽이기로 결심하여 만사설·하주 등을 시켜서 악비의 과실을 무고하였다. 무고의 내용은 악비가 산양에 있을 때 지키지 않고 퇴각했는데 그 일은 아들 운과

함께 장헌에게 보낸 편지로 증명된다는 것이었다. 이리하여 마침내 악비와 그 아들 운이 잡혀왔다.

　　잡혀 온 악비는 입었던 옷을 찢고 등을 내밀어 보이니 '盡忠報國'이라는 네 글자가 먹물로 새겨져 있다. 그리고는 악비는 크게 웃고, "내 마음은 땅이 알고도 남으리라."하고 탄식하였다. 악비의 옥사가 오랫동안 결정되지 않자 진회는 제 손으로 조서를 꾸며 옥리에게 보내 악비를 죽이게 했다.

인간과 사회

近塞上之人 有善術者 馬無故亡而入胡 人皆弔
之 其父曰 此何遽不爲福乎 居數月 其馬將胡
駿馬而歸 人皆賀之 其父曰 此何遽不爲禍乎
家富良馬 其子好騎 墮而折其髀 人皆弔之 其
父曰 此何遽不爲福乎 居一年 胡人大入塞 丁
壯者引弦而戰 近塞之人 死者十九 此獨以跛之
故 父子相保 故福之爲禍 禍之爲福 化不可極
深不可測也

－『淮南子』＜人間訓＞

1. 한자 및 구문 설명

塞 : 여기서는 '변방'의 뜻임.
　　① 변방 새(要塞)
　　② 막을 색(閉塞)

善術者 : 점을 잘 치는 사람.

何遽 : 어떤 무엇

將 : 여기서는 '거느리다'의 뜻임.
　　① 장차(부사) : 田園將蕪
　　② 장수(명사) : 紅衣將軍
　　③ 거느리다(동사) : 將胡駿馬而歸
　　④ ~을 가지고(동사) : 將線布十餘端米數石

墮 : 떨어질 타

髀 : 넓적다리 비

丁壯 : 부역이나 군역에 소집된 사람.

測 : 헤아릴 측

2. 기초한자 어원 및 활용

間 (사이 간)			
갑골문	금문	소전	해서

社 (모일 사)			
갑골문	금문	소전	해서

1) 間 : 사이 간

문 틈 사이로 달빛이 비치는 모양.
활용 단어 : 人間, 間食

2) 社 : 모일 사

제단[示]과 흙 토[土]가 합쳐져서 토지신을 이르는 말. 이후 토지신의
제사에 사람이 많이 모였기 때문에 '모이다, 모으다'의 의미로 확장되
었음.
활용 단어 : 會社, 社長

* '門'字가 공통적으로 들어간 글자

問(물을 문) : 學問, 質問   聞(들을 문) : 見聞, 所聞
開(열 개) : 開業, 開閉   關(빗장 관) : 關鍵, 關係
閭(마을 려) : 閭巷, 閭閻   閥(문벌 벌) : 閥閱, 門閥

3. 고사성어

- 守株待兎

  '송나라 사람이 나무 등걸에 부딪혀 죽은 토끼를 얻고 나서는 그 뒤로도 늘 등걸을 지켰으나 토끼를 얻지 못했다.'는 고사에서 나온 말로, 구습에 얽매여 고지식하고 융통성이 없음을 가리키는 말.

- 助長

  '도와서 成長시킨다.'는 말로, 급히 키우려고 하다 무리하게 힘을 가하여 도리어 일을 해친다는 뜻.

- 刻舟求劍

  '어리석고 미련하여 융통성이 없다.'는 뜻으로, 옛 것을 지키다 시세의 추이도 모르고 눈앞에 보이는 것만을 고집하는 처사를 비유해서 한 말.

- 宋襄之仁

  송양공의 고사에서 유래한 말로, 쓸데없는 인정을 베풀어 도리어 해를 입는 경우를 말함.

- 杞憂

  '기나라 사람의 걱정'이란 뜻으로, 쓸데없는 걱정을 이름.

- 朝三暮四

  '아침에 세 개, 저녁에 네 개'라는 뜻으로, 당장 눈앞의 차이만을 알고 그 결과가 같음을 모름을 비유함. 또는 간사한 잔꾀로 남을 속여 희롱함을 이르는 말.

4. 명언 및 한시

1) 명언

- 疑人莫用 用人勿疑

  사람이 의심스러우면 쓰지 말고, 사람을 쓰고서는 의심하지 말라.

- 海枯終見底 人死不知心

  바닷물이 마르면 그 바닥을 보이지만 사람은 죽어도 그 마음을 알 길이 없다.

- 酒逢知己千鍾少 話不投機一句多

  술은 나를 아는 친구를 만나면 천 잔도 적고, 말은 뜻이 맞지 않으면 한 마디도 많다.

2) 한시

<龍山吏> - 丁若鏞

(… 前略 …)

婦寡無良人	남편 없는 과부
翁老無兒孫	아이 없는 늙은이
泫然望牛泣	빼앗긴 소 바라보며 슬피 우는데
淚落沾衣裙	눈물 떨어져 저고리 치마 다 적신다.
村色劇疲衰	마을 모양새가 심히 피폐한데도
吏坐胡不歸	아전놈 어찌 돌아가지 않는가.
瓶罌久已罄	쌀독 바닥난 지 이미 오래거늘
何能有夕炊	무슨 수로 저녁밥 지을 수 있나.
坐令生理絶	죽치고 앉아 산 목숨 죽게 하니
四隣同嗚咽	동네마다 목메어 우는구나!
脯牛歸朱門	소를 잡아 권문세가에 바쳐야
才諝以甄別	거기에서 관리의 능력 구별한다니.

脣亡齒寒

脣亡齒寒이라는 말은 '입술이 없어지면 이가 시리다.'는 뜻이다.

춘추시대에 晉나라의 헌공이 있었는데, 이웃 나라인 虢나라를 치겠다는 구실로 虞나라에 길을 빌려 줄 것을 요청하였다. 진나라에서 괵을 치려면 가운데에 있는 우나라를 반드시 통과해야만 했던 것이다. 이 要請을 받은 우나라 朝廷은 길을 내어주어야 할 것인가 내어주지 않을 것인가를 두고 논란을 거듭하게 되었다. 자기 나라보다 강한 진나라의 요청을 거절하면 그 화가 어떻게 나타날 것인가를 모르기 때문이었다. 여러 번 어전 회의를 거친 끝에 결국 길을 열어 주는 쪽으로 의견이 모아지고 있었다.

우나라의 현명한 신하 宮之寄는 헌공의 속셈을 알고 우왕에게 간언했다. "괵나라와 우나라는 한몸이나 다름없는 사이오라 괵나라가 망하면 우나라도 망할 것이옵니다. 옛 속담에도 '수레의 짐받이 판자와 수레는 서로 의지하고[輔車相依], 입술이 없어지면 이가 시리다[脣亡齒寒]'고 했습니다. 이는 바로 괵나라와 우나라의 관계를 말한 것입니다. 결코 길을 빌려주어서는 안 될 것입니다." 그러나 뇌물에 눈이 어두워진 우왕은 "진과 우리는 同宗의 나라인데 어찌 우리를 해칠 리가 있겠소?"라며 듣지 않았다. 궁지기는 후환이 두려워 "우리나라는 올해를 넘기지 못할 것이다."라는 말을

남기고 가족과 함께 우나라를 떠났다. 궁지기의 예견대로 진나라는 12월에 괵나라를 정벌하고 돌아오는 길에 우나라도 정복하고 우왕을 사로잡았다.

이때부터 입술과 이의 관계처럼 결코 끊어서는 안 되는 관계를 순망치한이라 한다. 비슷한 말로는 脣齒之國·脣齒輔車가 있으며, 유사어로는 鳥之兩翼·車之兩輪이 있다.

似而非

　　얼른 보아서는 비슷하면서 사실은 같지 않은 것을 似而非라 한다. 이 말은 비슷한 사물에도 적용되기는 하지만 특히 사람에 대하여 많이 사용한다. 사람에 대해 사용할 때에는 사람의 단순한 겉모습을 나타낼 때 쓰는 것이 아니라 그 사람의 내면적인 인격과 결부되어 사용하는 경우가 많다.

　　그래서 옛 사람들은 사람의 인품을 논할 때 中, 狂, 狷의 개념을 하나의 잣대로 삼아 사람됨의 類型을 구분했다. 中이라는 것은 한마디로 가운데라는 뜻이다. 不偏不黨한 것, 치우침이 없는 것이다. 이렇게 보면 웃거나 울거나 화를 내거나 하는 일들이 모두 感情에 치우쳐 나타나는 행동이라 할 수 있다. 가능하다면 이런 치우친 행동에서 해방되어 인간 본연의 객관성을 잃지 않는 것이 중도를 지키는 것이 되며 圓滿한 인품의 소유자가 되는 것이다.

　　狂은 뜻이 크고 원대한 것을 말하는데, 자질구레한 일에 관여하거나 이해 관계에 민감하지 않은 성품을 뜻한다. 이러한 성품을 가진 사람은 주변에서 자질구레한 일에 집착하는 것을 목격하면 곧잘 혀를 차며 나무라고 딱하게 여긴다. 어찌보면 이런 부류의 사람은 냉소하는 듯한 태도를 취하기도 한다. 항상 그의 입에서는 원대한 포부와 이상이 반복된다. 그러면서도 불행히 이러한 포부와 이상이 이러한 사람에 의해 곧 실천되지는 못한다. 그것이 狂한 사람의 限界다.

　　狷이란 큰 理想이나 抱負는 잘 드러내지 않으나, 자기 자신을 지켜 실수를 하지 않는 부류의 성품을 말한다. 이러한 성품의 사람은 진취적이거나 세상을 계도할 經綸이 있어 보이지는 않으나, 자신의 위치를 알고 분수

를 지킬 줄 아는 사람이다. 이러한 사람은 조용히 주어진 자신의 일을 충실히 하는 民草들과 같은 부류라 할 수 있다. 그들은 결코 덕에 위배되는 일을 하거나 남에게 해로운 행동을 하지 않는 선량한 사람들이다.

　　孟子가 盡心章 뒷부분에서 갈파한 狂狷이라는 것도 이런 뜻이다. 似

而非도 여기에서 유래되었다. 中인 듯하고, 狂인 듯하고, 狷인 듯한데 실은 어느 하나에도 부합하지 않은 사람을 일러 似而非라 하였다. 비슷하면서도 사실은 눈속임을 하는 가짜 꽃인 造花같은 존재가 바로 似而非다.

漁父之利

‘어부의 이득’이라는 뜻으로, 쌍방이 다투는 사이에 제삼자가 힘들이지 않고 이득을 챙긴다는 의미를 지니며 『戰國策』 <燕策>에 나온다.

조나라가 연나라를 치려고 하자 소대가 연나라를 위하여 조나라의 혜왕에게 말하였다. "오늘 신이 易水(燕·趙와 국경을 이루는 강)를 지날 때, 마침 조개가 햇볕을 쬐려고 살을 드러내고 있었습니다. 이때 황새가 조개의 고기를 먹으려고 쪼니, 조개는 꼭 오므려 황새의 부리를 물었습니다. 황새가 ‘오늘도 내일도 비가 오지 않으면, 죽은 조개만 있을 뿐이다.’라고 말했습니다. 그러자 조개도 지지 않고 ‘내가 오늘도 내일도 놓아주지 않으면, 죽은 황새만이 있을 뿐이다.’하고 맞받았습니다. 이렇게 쌍방이 한 치의 양보도 없이 팽팽히 맞서 옥신각신하는 사이에 운수 사납게 이곳을 지나가던 어부에게 그만 둘 다 잡혀 버리고 말았사옵니다. 이제 조나라가 장차 연나라를 정복하고자 하여, 조와 연이 서로 오랫동안 싸워서 백성들이 疲弊해지면, 신은 저 강대한 秦나라가 어부가 될까 두렵습니다. 원컨대 대왕께서는 이 일을 깊이 헤아려서 계책을 세우십시오."라고 하였다. 혜왕이 옳은 말이라 하고 당장 침공 계획을 철회했다.

인간은 사회를 떠나서 살 수 없고, 사회는 인간관계가 그 기본을 이루고 있다. 사회생활에서 어떤 利害 관계 때문에 서로 싸우게 되면, 마침내 제3자가 그 기회를 이용하여 이익을 차지하는 것을 漁父之利라고 한다. 이처럼 격렬한 다툼을 벌인 당사자들은 상처만 입고 결국 엉뚱한 사람만 좋게 하는 경우는 인간 사회에서 흔히 볼 수 있는 일이다.

그리고 漁父之利는 또 조개와 황새가 서로 싸웠다고 해서 蚌鷸之爭 혹은 鷸蚌之爭이라고도 한다. 이를 합하여 ‘蚌鷸之爭에 漁父之利’라 하는 경우도 있다. 그러나 蚌鷸之爭은 위의 의미 이외에도 어금버금한 형세를 의미하기도 한다. 이와 비슷한 古事成語로는 犬兎之爭, 田父之利가 있다.

예절과 제의

祭如在 祭神如神在 子曰 吾不與祭 如不祭

—『論語』<八佾>

顏淵問仁 子曰 克己復禮爲仁 一日克己復禮
天下歸仁焉 爲仁由己 而由人乎哉 顏淵曰 請
問其目 子曰 非禮勿視 非禮勿聽 非禮勿言 非
禮勿動 顏淵曰 回雖不敏 請事斯語矣

—『論語』<顏淵>

1. 한자 및 구문 설명

如 : 마치 ~와 같다.

與 : 여기서는 '참여하다'의 뜻임.
　　① 줄 여(授與)
　　② 참여할 여(參與)
　　③ 어조사 여(문장 맨 뒤에서 감탄형으로 쓰임)

爲 : 여기서는 '하다'의 뜻임.
　　① 하다 : 讀書何爲
　　② ~이다 : 勤爲無價之寶
　　③ 삼다 : 以言行爲本
　　④ 위하다 : 吾爲子先行
　　⑤ 여기다 : 子以我爲不信

歸 : 돌아갈 귀(여기서는 '허락하다'의 뜻임)

目 : 눈 목(여기서는 항목을 뜻함)

雖 : 비록 수

2. 기초한자 어원 및 활용

祭 (제사 제)			
갑골문	금문	소전	해서

禮 (예도 예)			
갑골문	금문	소전	해서

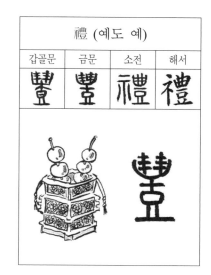

1) 祭 : 제사 제

제단[示] 위에 손[又]으로 고기 제물[肉=月]을 올리는 모양.
활용 단어 : 祭祀, 祭儀, 祭物, 祭壇, 祝祭

2) 禮 : 예도 예

제단[示] 위에 제기[豐]를 순서와 예법에 맞게 올리는 모양.
활용 단어 : 禮儀, 禮節, 禮式, 虛禮, 敬禮

* 示(보일 시, 땅귀신 기) : 제단의 모양을 본 뜬 부수 글자
祀(제사 사), 祈(빌 기), 祐(도울 우), 祖(할아비 조), 祝(빌 축), 祥(상서
로울 상), 祿(복 록), 禁(금할 금), 禮(예절 예), 福(복 복), 禱(빌 도)

3. 고사성어

1) 제사에 관한 고사성어

- 敬而遠之
  (귀신을) 공경하되 멀리함.

2) 三綱五倫

- 君爲臣綱
  임금은 신하의 벼리가 되어야 한다.

- 父爲子綱
  아버지는 아들의 벼리가 되어야 한다.

- 夫爲婦綱
  남편은 아내의 벼리가 되어야 한다.

- 父子有親
  아버지와 아들 사이에는 親愛하는 道가 있어야 한다.

- 君臣有義
  임금과 신하에게는 義理가 있어야 한다.

- 夫婦有別
  부부 사이에는 서로 침범치 못할 人倫의 구별이 있어야 한다.

- 長幼有序
  어른과 어린이 사이에는 차례와 질서가 있어야 한다.

- 朋友有信
  벗은 서로 간에 믿음이 있어야 한다.

4. 명언 및 한시

1) 명언

- 不語怪力亂神
  괴력난신에 대해서는 말하지 않는다.

- 出門如見大賓 入室如有人
  밖에 나설 때는 큰 손님을 대하는 것과 같이 하고, 방으로 들 때는 다른 사람이 있는 것처럼 하라.

- 禮與其奢也寧儉 喪與其易也寧戚
  예는 사치하기보다는 차라리 검소해야 하고, 상례는 잘 치르기보다는 차라리 슬퍼해야 한다.

2) 한시

<哭子> - 許蘭雪軒

去年喪愛女	지난해에 사랑하는 딸을 잃고
今年喪愛子	올해는 사랑하는 아들을 잃었네.
哀哀廣陵土	슬프디 슬픈 광릉 땅이여
雙墳相對起	두 무덤 마주보고 서 있네.
蕭蕭白楊風	쓸쓸한 바람이 백양나무에 불고
鬼火明松楸	도깨비불은 소나무 오동나무를 밝히네.
紙錢招汝魂	지전을 살라 너희의 혼을 부르고
玄酒奠汝丘	玄酒를 너희 무덤에 따르네.
應知弟兄魂	응당 너희 남매의 혼이
夜夜相追遊	밤마다 서로 따르며 노는 걸 아느니라.
縱有腹中孩	비록 배속에 아이가 있으나
安可冀長成	어찌 장성하기를 바라겠는가.
浪吟黃臺詞	헛되어 <황대사>를 읊으며
血泣悲吞聲	피눈물 흘리니 슬픔에 목이 메이네.

宗廟社稷

宗廟는 조선 시대에 역대 임금과 왕비의 位牌를 모시던 왕실의 사당으로, 현재 서울 종로구 훈정동에 자리하고 있다. 조선 태조 이성계는 왕위에 오른 지 4년째 되던 해인 1394년 12월에 종묘를 기공하여 이듬해 9월에 준공하였다. 준공 후 개성으로부터 四代祖, 즉 '목조, 익조, 도조, 환조'의 神主를 한양으로 옮겨 신묘에 봉안하였는데, 이것이 조선 종묘의 시초이다. 그 후 임진왜란 때에 한양으로 쳐들어온 왜장 부다슈카가 종묘를 그들의 본부로 삼았다. 그러나 그 곳에 주둔한 병사들이 왕왕 폭사하는 등 좋지 못한 일이 자주 일어나자 사람들이 종묘에는 神靈이 있어 오래 머무를 곳이 못된다고 하여 왜군은 거처를 옮기면서 종묘를 고의로 불태워 버렸다. 왜란을 피해 의주로 피신했던 선조가 재위 26년(1593)에 다시 한양으로 환도하였으나 거처할 곳도 없고 종묘도 없었다. 왕의 거처는 급한 대로 월산대군(성종의 형)의 저택(현 덕수궁)을 사용하기로 했으나 종묘는 어떻게 할 수가 없어 심연원의 집을 빌려 그 곳에 신주를 모시는 것으로 대신했다. 이후 선조 41년에 공사를 시작하여 그 해에 종묘를 중건하였다. 하지만 종묘는 병자호란을 당하여 또 다시 훼손되고 말았다. 호란이 끝난 뒤 인조는 전후의 참상을 딛고 새로 나라의 체통을 세우기 위하여 종묘와 신주를 개수하는 일에 착수하였다. 그에 따라 정전과 영녕전의 신주 29위를 다시 받들어 파손된 신주는 종묘 뒤에 매장하였다. 그 뒤 종묘는 영조, 정조, 헌종 시대를 거쳐 증축·개축되면서 오늘에 이르게 되었다.

社稷은 토지신[社]과 곡식신[稷]을 아울러 이르는 말이다. 백성은 땅과 곡식이 없으면 살 수 없으므로 사직은 풍흉과 국가의 운명을 관장한다고 믿어 나라를 창건한 자는 제일 먼저 왕가의 선조를 받드는 宗廟와 더불어

社稷壇을 지어서 백성을 위하여 사직에게 복을 비는 제사를 지냈다. 조선 태조 이성계는 개국하여 한양으로 천도하면서 1395년(태조 4) 현재의 서울 종로구 사직동에 사직단을 건립하여 국가의 정신적인 지주로 삼았다.

祭禮의 種類

① 忌祭祀

4대조까지의 忌日에 지내는 제사로 忌祭라고도 한다. 기일은 자기를 기준으로 高祖까지의 親屬이 사망한 날이다. 忌자는 본래 꺼린다·금한다는 뜻으로 근심에 싸여 마음이 다른 일에 미치지 않는다는 뜻에서 쓰였고, 기일을 諱日이라고도 하는데 諱자도 기와 비슷한 뜻이다.

② 時祭祀

시제는 원래 四時祭라고 부르던 것으로서 1년에 네 번 즉, 춘하추동의 계절마다 高祖 이하의 조상을 함께 제사하던 합동 제사의 하나이다. 시제는 예법에서 가장 중요하게 생각되었으며, 고대에는 제사는 곧 시제를 말하는 것으로 제사의 으뜸이었으나 조선시대 이후 忌祭가 중시되면서 점차 퇴색되어 갔다. 또한 일 년에 행하는 제사의 횟수가 많아지면서 현재는 보통 1년에 한 번만 행하고 있다.

③ 茶禮

예서에는 없는 제례이다. 대체로 설날·대보름날·한식·단오·칠석·추석·중양·동지 등에 省墓의 형태로 지낸다. 그 중에서도 흔히 설날과 추석에 많이 지내고 있다. 차례는 기제를 지내는 조상에게 지내며, 명절날 아침에 각 가정에서 조상의 신주나 지방 또는 사진을 모시고 지낸다. 차례도 물론 기제를 지내는 장손의 집에서 지내는 것이 원칙이지만 지방이나 가문의 전통에 따라 한식이나 추석에는 산소에서 지내기도 한다.

④ 墓祭

조상의 묘에서 지내는 제사로 우리나라에서는 예로부터 청명·한식·단오·중양에 지냈다. 실제의 관행에서는 묘제를 時享·時祭·時祀·墓祀 등으로 다양하게 부르고 있다. 묘제는 높은 조상의 묘소부터 낮은 조상의 묘로 내려오면서 지내는데, 각 묘에 제를 올리기 전에 산신제를 지내는 곳도 있다.

祭需와 陳設法

차례에서 神位는 상좌인 북쪽에 놓는다. 경우에 따라서 북쪽에 놓을 수 없더라도 신위가 놓인 곳을 북쪽으로 한다. 喪禮에서 죽음이 확인되면 죽은 이의 머리를 북쪽으로 향하게 한다. 북쪽은 北邙山川이라고 일컫는 죽은 이의 세계를 나타내는데, 이것은 중국 漢나라의 수도 북쪽에 북망산이라는 묘지가 자리 잡고 있었기 때문이다.

제일 앞줄에 놓는 과일의 진설 방법은 이설이 분분하다. 대추는 동쪽, 밤은 서쪽에 놓는다는 東棗西栗, 붉은 과일은 동쪽에 흰 과일은 서쪽에 놓아 과실의 배치가 울긋불긋하게 되는 것을 피하려 했다는 紅東白西, 대추, 밤, 배, 감의 순으로 놓는다고 주장하는 棗栗梨柿가 있다. 대체로 현대에 들어서는 棗栗梨柿를 많이 따른다.

제사상의 주된 과일로 대추, 밤, 감, 배가 오르는 것은 이들이 전통적으로 상서로움, 희망, 위엄, 벼슬을 나타내는 과일이기 때문이다. 밀양 박 씨 문중 제사에서는 이 과일들을 이렇게 풀이한다. 대추는 씨가 하나인 과일인데 열매에 비해 그 씨가 큰 것이 특징으로 王을 상징한다. 밤은 한 송이에 씨알이 세 톨이니 3정승을, 배는 씨가 6개로 6판서를, 감은 씨가 8개이니 8方伯을 의미한다고 한다. 또는 주요한 과일인 밤은 조상을 상징하고, 대추는 자손을, 감은 혼인을 상징한다고도 한다.

이 밖에 제수를 진설하는 방법은 紅東白西[붉은 과일은 동쪽, 흰 과일은 서쪽], 生東熟西[날것은 동쪽, 익은 나물류는 서쪽], 魚東肉西[생선은 동쪽, 고기류는 서쪽], 頭東尾西[생선의 머리는 동쪽, 꼬리는 서쪽], 左脯右醢[포는 왼쪽, 식해는 오른쪽], 右盤左羹[신위에서 볼 때 반은 오른쪽, 갱은 왼쪽] 등의 원칙에 따라 놓으며, 같은 종류의 제수는 홀수로 차린다.

世俗所謂不孝者五 惰其四支 不顧父母之養 一不孝也 博奕好飲酒 不顧父母之養 二不孝也 好貨財 私妻子 不顧父母之養 三不孝也 從耳目之欲 以爲父母戮 四不孝也 好勇鬪狠 以危父母 五不孝也

－『孟子』<離婁章句下>

1. 한자 및 구문 설명

事親 : 부모를 섬기다.

則 : 여기서는 가정형으로 '~하면'의 뜻임.
　① ~하면(가정형) : 臣無法 則亂於下
　② 바로, 곧 : 此則寡人之罪也
　③ 겨우, 단지 : 口耳之間 則四寸耳
　④ 한편으로는 : 一則以喜 一則以懼

所謂 : 이른바

奕 : 클 혁, 아름다울 혁, 바둑 혁

戮 : 죽일 륙(여기서는 수치스럽고 모욕적이라는 뜻임)

2. 기초한자 어원 및 활용

孝 (효도 효)			
갑골문	금문	소전	해서

親 (친할 친)			
갑골문	금문	소전	해서

1) 孝 : 효도 효

자식[子]이 나이든 부모[老]를 업고 있는 모양.
활용 단어 : 孝誠, 孝道, 孝子, 忠孝

2) 親 : 친할 친

'辛 + 木 + 見'이 합쳐진 글자. 뜻을 나타내는 볼 견[見]과 많은 나무가 포개어 놓여 있다는 의미인 그 외의 글자가 합하여 이루어짐. 즉 나무처럼 많은 자식들을 부모가 보살핀다는 뜻으로 본래 어버이라는 뜻이었는데, 뒤에 '친하다'라는 의미로 확장되었다.
활용 단어 : 嚴親, 慈親, 親疎, 親戚, 和親

* '老'字가 부수로 쓰인 글자
考(상고할 고), 者(놈 자), 耆(늙은이 기)

3. 고사성어

- 望雲之情
  '구름을 바라보며 그리워한다.'는 뜻으로, 객지에 나온 자식이 고향의 부모를 그리는 정을 가리키는 말.

- 反哺之孝
  '어미에게 되먹이는 까마귀의 효성'이라는 뜻으로, 어버이의 은혜에 대한 자식의 지극한 효도를 이르는 말. (反哺報恩)

- 天崩之痛
  '하늘이 무너지는 듯한 슬픔'이란 뜻으로 임금이나 아버지의 喪事를 당한 슬픔을 이르는 말.

- 昏定晨省
  '저녁에는 잠자리를 살피고, 아침에는 일찍이 문안을 드린다.'는 뜻으로, 부모에게 효도하는 도리를 이르는 말.

- 扇枕溫被
  '자식이 부모를 위하여 더울 때는 베개 옆에서 부채질을 하고 추울 때는 이불에 먼저 들어가 자리를 덥힌다.'는 말. (冬溫夏凊)

- 出告反面
  들어오고 나갈 때 반드시 부모님께 아룀.

4. 명언 및 한시

1) 명언

- 孝百行之本也
  효는 백행의 근본이다.

- 以敬孝易 以愛孝難
  부모를 공경하는 효행은 쉬우나, 부모를 사랑하는 효행은 어렵다.

- 身體髮膚 受之父母 不敢毀傷 孝之始也
  신체의 피부와 터럭도 부모에게 받은 것이니 감히 훼손하여 상처내지 않는 것이 효의 시작이다.

- 父母之年 不可不知也 一則以喜 一則以懼
  부모의 나이는 반드시 기억하고 있어야 한다. 한편으로는 오래 사시는 것이 기쁘고 또 한편으로는 나이 많은 것이 걱정스럽다.

2) 한시

<踰大關嶺望親庭> － 申師任堂

慈親鶴髮在臨瀛	인자한 우리 엄마 흰 머리 되어 강릉에 계시고
身向長安獨去情	이 몸 서울로 홀로 떠나는 심정이여.
回首北村時一望	어머니 계신 북촌으로 고개 돌려 바라보니
白雲飛下暮山青	흰 구름은 날아 내리고 저문 산은 푸르기만 하네.

風樹之嘆

‘바람과 나무의 탄식’이라는 뜻으로, 효도를 다하지 못하고 어버이를 여읜 자식의 슬픔을 비유한 말이다. 風木之悲라고도 한다. 이 말은 ‘나무는 고요하고자 하나 바람은 멈추지 아니하고, 자식은 봉양하고자 하나 어버이는 기다려 주지 않는다(樹欲靜而風不止 子欲養而親不待).’는 말에서 유래된 것이다.

공자가 자신의 이상을 실현하기 위해 중국 천하를 돌아다니다가 하루는 몹시 울며 슬퍼하는 사람을 만났다. 공자가 슬피 우는 까닭을 물으니, 그는 자신이 우는 까닭을 이렇게 말했다.

“저는 세 가지 잘못을 저질렀습니다. 그 첫째는 젊었을 때 천하를 두루 돌아다니다가 집에 와보니 부모님이 이미 세상을 떠나신 것이요, 둘째는 섬기고 있던 군주가 사치를 좋아하고 충언을 듣지 않아 그에게서 도망쳐 온 것이요, 셋째는 부득이한 사정으로 교제를 하던 친구와의 사귐을 끊은 것입니다. 무릇 나무는 조용히 있고자 하나 바람이 멈추지를 않고, 자식이 부모를 봉양하고자 하지만 부모는 이미 안 계신 것입니다. 봉양할 생각으로 찾아가도 다시 뵈올 수 없는 것이 부모인 것입니다.”

이 말을 마치고 그는 마른 나무에 기대어 죽고 말았다. 風樹之嘆은 여기에서 유래된 것으로 효도를 다하지 못한 채 부모를 잃은 자식의 슬픔을 가리키며 부모가 살아 계실 때 효도를 다하라는 뜻으로 쓰이는 말이다. 이 말을 들은 공자의 제자들 가운데 부모를 봉양하기 위해 고향으로 돌아간 이가 있을 정도였다고 하니 부모 잃고 후회하는 자식의 마음이 어떠했을까 가히 짐작이 되고도 남는다.

樹欲靜而風不止	나무는 고요하고자 하나 바람이 멈추지 않고
子欲養而親不待	자식은 봉양하고자 하나 부모는 기다려 주지 않네.
往而不可追者年也	흘러가면 좇을 수 없는 것이 세월이요
去而不見者親也	돌아가시면 다시 볼 수 없는 것도 어버이네.

懷橘

'귤을 품는다.'는 이 말은 효성이 매우 지극함을 뜻하는 말로, 陸績懷橘이라고도 한다. 중국에서 손꼽는 24명의 효자 가운데 육적에 얽힌 일화에서 유래된 말이다.

東漢 말엽 육적이 6살 때 九江에 살고 있는 袁術을 찾아가게 되었다. 원술은 뜻밖에 찾아온 어린 손님을 위해 특별히 귤을 쟁반에 담아 내왔다. 하지만 어찌 된 일인지 육적은 먹는 둥 마는 둥 시늉만 내는 것이 아닌가. 그러다 잠시 원술이 자리를 비우는 사이 육적은 얼른 귤을 집어 소매 속에 감추었다.

나중에 작별 인사를 올릴 때였다. 막 자리에서 일어서려는 순간 육적의 소매에서 그만 귤이 굴러 나오는 것이었다. 육적은 당황하여 어찌할 바를 몰랐다. 그러나 원술은 짐짓 모른 체 하며 물었다.

"아니, 먹으라고 내놓은 귤을 먹지도 않고 왜 소매 속에 넣었는가?"

"예, 사실은 집에 계신 어머니 생각에 차마 먹을 수 없어 어머니께 드리려고.……"

"참으로 대견하구나. 어버이를 위하는 효성이 깊은 아이로다." 라고 하면서 나머지 귤을 몇 개 더 집어 주었다.

우리나라에도 이 고사성어의 뜻이 담긴 時調가 전한다. 조선 중기의 문인인 朴仁老는 친구 李德馨이 홍시를 보내오자 돌아가신 부모를 생각하며 <早紅柿歌>를 지었다.

반중 조홍 감이 고아도 보이ᄂ다
柚子 아니라도 품엄 즉도 ᄒ다마ᄂ
품어가 반기리 업슬싀 글로 셜워 ᄒᄂ이다

王祥得鯉

중국 西晉시대에 太保 벼슬을 지낸 王祥은 어려서부터 성품이 효성스럽기로 유명하였다. 일찍 어머니를 여의자 아버지가 새로 장가를 들어 계모인 朱氏와 함께 살았다. 불행하게도 계모 주 씨가 자애롭지 않아 자주 왕상을 참소하였다. 이로 인해 아버지의 사랑을 잃었다. 부모는 왕상에게 소똥을 청소하게 하였는데 왕상은 매번 소똥을 치우면서도 더욱 공손하게 삼갔으며, 부모가 병환이 있으면 옷에 띠를 풀지 않았으며, 약을 끓일 적에는 반드시 직접 맛보았다.

하루는 한겨울에 계모 주 씨가 살아있는 물고기를 먹고 싶다고 했다. 왕상이 물고기를 잡기 위해 강에 나갔으나 날씨가 추워 강은 꽁꽁 얼어있었다. 왕상이 옷을 벗고 얼음을 깨서 물고기를 잡으려 하였는데 얼음이 갑자기 저절로 풀리더니 잉어 두 마리가 튀어나오므로 잡아 가지고 돌아와서 어머니에게 대접했다. 王祥得鯉의 고사성어가 여기서 생겨났다.

하루는 어머니가 참새구이를 먹고 싶어했다. 왕상이 참새를 잡으려 장막을 치자 참새 수십 마리가 그 장막에 날아 들어왔다. 왕상은 이것을 어머니께 올렸다.

이에 鄕里 사람들은 놀라고 감탄하여, 하늘이 왕상의 지극한 효심에 감응하여 내린 바라고 말하였다. 그래서인지 하늘이 돕는 듯한 효자의 초자연적인 현상은 기록으로 남아있는 바가 많다. 비슷한 고사로 삼국시대 吳나라의 효자 孟宗이 죽순을 얻은 사례가 있다. 죽순을 즐겨 먹었던 맹종의 어머니는 겨울에 돌아가셨다. 효자인 맹종이 제사상에 죽순을 올리고 싶었으나 죽순을 얻을 수 없는 겨울인지라 대밭에 들어가서 슬피 울었더니 죽순이 돋아나서 이를 뜯어다 제사상에 올렸다는 이야기다.

이처럼 옛 사람들은 효자는 하늘도 그를 돕는다고 여겼다. 비과학적인 이야기이지만 기적이란 늘 존재하는 법이다.

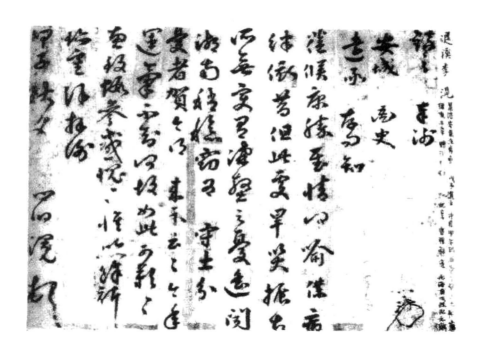

夫龍之爲虫也　柔可狎而騎也　然其喉下有逆鱗
徑尺　若人有嬰之者　則必殺人　人主亦有逆鱗
說者能無嬰人主之逆鱗　則幾矣

―『韓非子』

1. 한자 및 구문 설명

夫 : 여기서는 '대저, 대개 부'의 뜻임.
　　① 지아비 부
　　② 대저, 대개 부

狎 : 친압할 압. 친압은 버릇없이 지나치게 친하다는 의미.

喉 : 여기서는 '목'의 의미.
　　① 목 후　　　　　　　② 목구멍 후

嬰 : 여기서는 '닿다'의 의미.
　　① 어린 아이 영
　　② 닿다 영

鱗 : 비늘 린

幾 : 여기서는 '거의 성공한다'는 의미.
　　① 몇 기
　　② 기미 기
　　③ 거의 기

2. 기초한자 어원 및 활용

討 (칠 토)			
갑골문	금문	소전	해서
	𫞂	𫞂	討

論 (논할 론)			
갑골문	금문	소전	해서
	論	論	論

1) 討 : 칠 토

법도(寸)있는 말(言)로써 옳지 못한 상대방(相對方)을 친다는 데서 '치다, 토론하다'를 뜻함.

활용 단어 : 討伐, 討論, 討議

2) 論 : 논할 론

뜻을 나타내는 말씀 언(言 ☞ 말씀) 部와 음(音)을 나타내는 侖(륜)으로 이루어짐. 冊(책)은 나무나 대나무의 패를 이은 옛날 책, 집(스)은 모으는 일. 侖(륜·론)은 책을 모아 읽고 생각하여 정리하는 일, 여러 사람과 의견을 교환하며 정리하여 말한다(☞ 言)는 뜻이 합(合)하여 '논의하다'를 뜻함.

활용 단어 : 論議, 論難, 論語, 輿論, 勿論, 卓上空論

* '侖'字가 들어간 글자

倫(인륜 륜), 輪(바퀴 륜), 論(논할 론)

3. 고사성어

- 逆鱗
  용의 목에 거꾸로 난 비늘. 즉 군주가 노여워하는 군주만의 약점 또는 노여움 자체를 가리키는 말.

- 甲論乙駁
  갑이 論하면 을이 論駁한다는 뜻으로, 서로 論難하고 반박함을 이르는 말.

- 說往說來
  서로 辯論을 주고받으며 옥신각신함.

- 合從連衡
  蘇秦의 合從說과 張儀의 連衡說, 곧 戰國 時代의 군사 동맹의 형태. 合從은 韓魏趙燕楚齊의 여섯 나라가 군사 동맹을 맺어서 秦나라에 맞서는 것이고, 連衡은 위의 여섯 나라가 진나라에 복종하는 것을 이름. 즉 이해관계에 따라 연합하거나 헤어지는 것을 이름.

- 百家爭鳴
  춘추전국시대에 儒家, 道家, 兵家, 墨家, 法家 등 수많은 학문과 철학의 분파가 토론하고 경쟁하는 데서 유래한 말이다. 수많은 학자나 학파가 자신들의 사상을 자유로이 논쟁함을 이른다.

- 白馬非馬
  名家의 한 사람인 公孫龍에게서 유래한 말로 白馬는 말에 들어가지만 말은 아니라고 주장하였다. 즉 궤변이나 억지논리를 가리키는 말로 활용한다.

4. 명언 및 한시

1) 명언

- 所說出於爲名高者也 而說之以厚利 則見下節而遇卑賤 必棄遠矣
  유세하려는 상대가 명예를 높이려고 하는 자인데 두터운 이익으로
  그를 유세한다면, 즉 절조가 낮은 자를 만났다하여 비천하게 여김
  을 당할 것이며 반드시 버리고 멀리할 것이다.

- 宋有富人 天雨牆壞 其子曰 不築 必將有盜 其鄰人之父亦云 暮
  而果大亡其財 其家甚智其子 而疑鄰人之父
  송나라에 부자가 있었다. 비가 와서 담장이 부서졌다. 그 아들이 말
  하기를 고쳐 쌓지 않으면 반드시 장차 도둑이 들 것이라 하였다.
  그 이웃의 남자도 역시 같은 말을 하였다. 저녁이 되자 과연 도둑
  이 들어 크게 그 재물을 잃었다. 그 집에서는 그 아들을 심히 지혜
  롭게 여겼으나 이웃의 남자를 의심하였다.

2) 한시

<無衣> ― 秦哀公

豈曰無衣	어찌 옷이 없다고 불평하리오
與子同袍	한 벌의 솜옷도 나눠 입으며
王于興師	임금님이 전쟁을 일으시키면
脩我戈矛	짧은 창 긴 창 날을 세워서
與子同仇	우리 함께 나아가 원수를 갚자

先始於隗

　　연나라의 왕인 噲는 국사를 재상인 子之에게 내팽겨침도 모자라 아예 왕위를 자지에게 선양해버리고 만다. 국가는 내전에 빠지게 되고 이에 제나라가 개입한다. 이 바람에 재상과 태자 평은 살해되었고 연왕 또한 자결하였다. 이후 공자 職이 제나라에 영토 반을 넘기고 속국이 되는 조건으로 연왕에 즉위한다. 연소왕이 된 공자 직은 제나라에 복수를 하기 위해 인재를 모으기로 결심한다. 그러나 전쟁으로 인해 국토는 황폐화되고 인재는 유출되어 계획은 지지부진했다. 이때 연소왕이 국가를 살릴 수 있는 인재가 있다면 천금을 주고 기꺼이 스승으로 모시며 매일 문안을 드리겠다고 공언하자 郭隗가 말하기를 "예전 어떤 왕이 천리마를 갖고 싶어서 신하에게 천금을 주고 천리마를 사오라고 시켰습니다. 그런데 그 신하는 죽은 천리마의 뼈를 500금을 주고 사옵니다. 화가 난 왕이 신하에게 그 이유를 따져 묻자 신하는 말했습니다. 죽은 천리마 뼈도 500금을 주고 사온다는 소문이 나면 살아있는 천리마를 가진 사람들이 가만있겠습니까? 이후 1년 안에 진짜 천리마 세 마리를 얻었다고 합니다. 마찬가지로 별 볼일 없는 인물을 후히 대접한다면 훌륭한 인물들이 얼마나 몰려들겠습니까?" 연소왕이 물었다.

　　"그럼 그 별 볼일 없는 인물은 누구인가?" 곽외는 대답했다.

　　"먼저 이 곽외부터 시작하시지요."

　　크게 깨달은 연소왕은 곽외를 스승으로 삼고 후히 대접하였다. 이후 천하의 인재들은 자신이 곽외보다 못할 것이 없다는 생각으로 연나라에 모여들었고 그 중에는 樂毅와 같은 명장도 있었다. 연소왕은 악의를 기용하여 제나라를 성 두 개만 남기고 함락시켜 약 5년여간 제나라를 실질적으로 멸망시키는 등 국력을 크게 떨치는 데 성공한다. 유사한 표현으로 죽은 말의 뼈를 샀다고 해서 買死馬骨이라는 고사성어도 있다.

이황과 기대승

　　퇴계 이황은 조선 중기의 대표적인 유학자이자 천 원권 지폐에 실릴 정도로 존경받는 학자이다. 영남학파의 영수이자 동인의 스승격이 되는 대학자로 율곡 이이와 함께 이기론을 형성해 성리학을 완성시켰다는 평가를 받는다. 동방의 朱子로 평가받으며 조선뿐 아니라 일본에까지 영향을 미쳤다. 심지어 메이지 시대의 교육 이념에까지 영향을 미친 대유학자로 평가받는다. 사후에는 영의정으로 추증되었으며 문묘에 배향되었다. 이토록 높은 평가를 받는 대유학자인 이황이 성균관 대사성에 재직 중인 58세 때 당돌한 후학과 四端七情 논쟁을 벌이게 된다. 이황과 논쟁을 벌인 당사자의 이름은 기대승으로 과거에 급제한지 얼마 되지 않은 32세의 젊은 유학자에 불과했다.

　　이황은 연령은 물론 신분 차이도 현격한 아래 사람과 四端七情과 관련된 논쟁을 무려 13년간 편지로 벌이게 된다. 현대적으로 비유하면 국립대학교 총장격인 이황과 갓 임용된 하위직 공무원 기대승이 하나의 이슈를 놓고 진지한 토론과 설득의 과정을 벌인 셈이다. 성균관 대사성이라는 높은 직책과 임금도 어려워하는 대유학자라는 상대의 직위와 권위를 두려워하지 않고 학문과 진리를 위한 토론을 전개한 기대승도 대단하지만 어린 사람이라, 하위직이라 무시하지 않고 진지한 태도로 임한 이황 역시 대단하다 할 수 있다. 이황은 기대승과의 논쟁에서 예의를 잃지 않았고 심지어 기대승의 의견을 받아들여 자신의 이론을 수정하기도 했다. 후대의 정약용은 기대승의 의견이 좀 더 우세하다는 의견을 내기도 했으나 그렇다고 해서 이황의 이론이 허술하다고 볼 수는 없다. 이와 같은 두 사람의 학문을 대하는 정신과 토론에 임하는 태도는 후대의 모범이 되고 있다.

韓非子

한비자는 한나라의 공자로 본명은 韓非이다. 법가사상을 집대성한 학자로 알려져 있다. 性惡說을 주장한 荀子 밑에서 훗날 진나라의 승상이 되는 李斯와 함께 동문수학했다. 저서인 『한비자』에서는 유세의 어려움을 표현한 「說難」편이 있는데 그 요체는 현대인들도 반드시 새길 필요가 있다.

임금의 총애를 아직 받기도 전에 자기의 있는 지혜를 모두 말해버리면 진언이 시행되어 공이 있어도 진언한 자의 공덕을 잊어버리게 되며 진언이 시행되지 아니하여 실패하면 의심을 받게 된다. 군주가 누군가의 좋은 계책을 가지고 성공하여 그것을 자신의 공으로 삼으려 하는데 세객이 그 내막을 알게 되면 그 몸이 위태롭다. 또한 군주가 결코 하고 싶지 않은 일을 억지로 하도록 강요하거나 그만두고 싶지 않은 일을 중지시키려고 한다면 이러한 사람은 몸이 위태롭다. 군주가 자기의 능력을 자랑하고자 한다면, 그 일과 비슷한 다른 예를 들어서 여러 가지 자료를 제공함으로써 많은 도움을 얻게 하고, 거짓 모르는 척 함으로써 도와주어야 한다. (중략) 위험하고 해로운 일을 중단시키고자 할 때에는 그것에 대한 세상의 비난을 분명히 드러내 설명하고, 그것이 군주 자신의 우환이 될 수도 있다는 것을 넌지시 드러내 보여줘야 한다. 군주를 칭찬할 때는 칭찬할 만한 군주의 행동과 같은 행동을 한 다른 사람을 칭찬하며, 군주의 행동을 규제하고자 하면, 군주의 생각과 같은 다른 계획의 예를 들어 간접적으로 그 잘못을 말하여야 한다. 군주가 불명예스러운 일을 했을 때에는 군주의 행동과 같은 행동을 한 일을 예로 들어서 해로움이 없음을 크게 꾸며서 말해야 한다. 군주가 무슨 일에 실패하였을 때에는 군주와 같은 실패를 한 일을 예로 들어 아무런 실책이 없음을 꾸며서 설명해야 한다. 군주 스스로 자신의 능력을 과신하여 무리하게 일을 추진하려고 하려할 때, 그 일의 어려움을 들어서 가로막아서는 안 된다. 군주 스스로 결단을 내리는 것에 용감하다고 생각하는 군주에게는 그 결단의 잘못을 지적함으로써 화나게 만들어서는 안 된다. 스스로 계책을 세우는 데 지혜롭다고 생각하는 군주에게는 그의 실패한 예를 들어 추궁하지 말아야 한다. 말의 큰 의미가 군주의 뜻에 거스르는 것이 없어야 하고, 걸리고 얽히는 데가 없어야 한다. 그런 후에야 지혜로운 언변을 마음껏 구사할 수가 있다. 이런 방법이 군주에게 친근하면서 의심을 받지 않고 하고 싶은 말을 다 할 수 있는 것이다.

실패와 재기

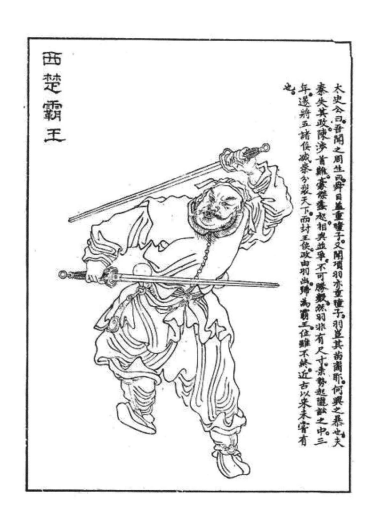

天將降大任於是人也　必先苦其心志　勞其筋骨
餓其體膚　空乏其身　行拂亂其所爲　所以動心忍
性　曾益其所不能

－『孟子』<告子>

1. 한자 및 구문 설명

將 : 여기서는 '장차'의 의미.
　　① 장수 장
　　② 장차 장
　　③ 거느리다 장

降 : 여기서는 '내리다 강'으로 쓰임.
　　① 내릴 강
　　② 항복할 항

所以 : 이유, 까닭

2. 기초한자 어원 및 활용

再 (다시 재)			
갑골문	금문	소전	해서

起 (일어날 기)			
갑골문	금문	소전	해서

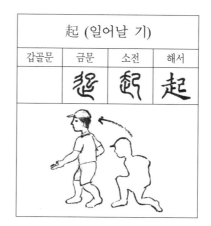

1) 再 : 다시 재

나무토막을 쌓아놓은(構의 오른쪽 모양에서 아랫부분) 위에 하나씩(一)
더 얹어 놓는다는 데서 '다시', '거듭'을 뜻함.
활용 단어 : 再活, 再修, 再現, 再活用, 再演

2) 起 : 일어날 기

뜻을 나타내는 달아날 주(走 ☞ 달아나다) 部와 음(音)을 나타내는 己
(기)가 합(合)하여 이루어짐. 달리기(走 주 ☞ 사람이 달리다 → 움직이
는 일) 위해 일어난다는 뜻이 합(合)하여 '일어나다'를 뜻함.
활용 단어 : 起立, 提起, 起訴, 起死回生, 蜂起

* '走'字가 부수로 쓰인 글자
越(넘을 월), 超(넘을 초), 赴(다다를 부), 趙(조나라 조)

3. 고사성어

- **捲土重來**

  당나라 말기의 시인 杜牧의 시 <題烏江亭>에서 유래하였다. 두목은 오강에서 항우의 자결을 아쉬워하며 이 시를 지었다. 시의 말미에 "강동의 젊은이 중에는 준재가 많으니 흙먼지 일으키며 다시 쳐들어왔다면 어찌되었을까(江東子弟多才俊 捲土重來未可知)"라고 한 구절에서 따왔다. 어떤 일에 실패한 후 다시 힘을 길러 다시 도전하는 일을 비유하는 고사성어이다.

- **殷鑑不遠**

  『詩經』「大雅篇」에 실린 "은나라의 거울은 멀리 있지 않다. 전대인 하나라에 있다(殷鑑不遠 在夏后之世)"라는 구절에서 유래하였다. 이 시는 하나라의 桀王이 폭정을 행하다 나라가 망하였으므로 은나라는 마땅히 그것을 경계하여야 한다는 의미다. 남의 실패를 본보기로 삼아야 한다는 의미로 활용된다.

- **他山之石**

  『詩經』「小雅篇」에 실린 <鶴鳴>이라는 시에 "다른 산의 돌이라도 이로써 옥을 갈 수 있네(他山之石 可以功玉)"이라는 구절에서 유래하였다. 다른 사람의 하찮은 언행이라도 자기의 知德을 닦는 데 도움이 됨을 비유하는 의미로 쓰인다.

- **塞翁之馬**

  『淮南子』에서 유래한 말로 인생의 길흉화복이 변화가 많음을 이르는 표현이다.

- **苦盡甘來**

  쓴 것이 다하면 단 것이 온다는 말로 고생 끝에 낙이 온다는 의미.

4. 명언 및 한시

1) 명언

* 人一能之 己百之 人十能之 己千之 果能此道矣 雖愚必明 雖柔
  必强

  남이 한 번에 할 수 있다면 나는 그것을 백 번할 것이며 남이 그것
  을 열 번에 할 수 있다면 나는 그것을 천 번 한다. 과연 이 도에 능
  하다면 비록 어리석더라도 반드시 명석해지며 비록 유약하더라도
  반드시 강해진다.

* 繩鋸木斷 水滴穿石

  새끼줄로 톱질해도 나무가 잘라지고 물방울이 떨어져 돌을 뚫는다.

2) 한시

<蜀相> － 杜甫

丞相祠堂何處尋	승상의 사당을 어디서 찾을 것인가
錦官城外柏森森	금관성 밖에 잣나무 빽빽한 곳이구나.
映階碧草自春色	계단을 비추는 푸른 풀은 저절로 봄빛이고
隔葉黃鸝空好音	나뭇잎 사이 누런 꾀꼬리는 좋은 소리를 내는구나.
三顧頻煩天下計	세 번 찾아간 번거로움은 천하를 계획함이오,
兩朝開濟老臣心	두 조정을 열어 구제함은 노신의 마음일세.
出師未捷身先死	군사를 내었지만 이기지 못하고 몸이 먼저 죽으니
長使英雄淚滿襟	길이 영웅들로 눈물로 옷깃을 적시게 하는구나.

前轍(覆車之戒)

'앞 수레의 바퀴자국' 혹은 '엎어진 수레의 경계'라는 의미로 쓰이는 표현이다. 이 표현은 한문제와 그의 명신인 賈誼와의 대화에서 유래하였다. 가의는 한문제에게 "속담에 앞서 간 수레의 엎어진 바퀴자국은 뒷 수레에게 경계가 된다는 말이 있습니다. 전 왕조인 진나라가 일찍 망한 것을 몸소 보시지 않았습니까? 진나라가 범한 과오를 피하지 않는다면 그 前轍을 밟게 될 뿐입니다."라고 간하였고 한문제는 가의의 간언을 받아들여 진나라에서 행했던 학정을 극도로 경계하였다. 자연히 태평성대를 이루었고 역사 속에 명군으로 남게 되었다.

과거에는 도로에 포장이 되어 있지 않아 도로마다 수레 바퀴자국이 패여 있었다. 세월이 지나다보면 많은 수레가 같은 길로 가다 보니 그 길에 바퀴자국이 패여 하나의 軌道같은 홈이 파이기 마련이다. 뒷사람이 그러한 궤도를 생각 없이 따라가다 보면 앞 사람이 잘못한 일까지 답습할 우려가 있었다. 길가에는 지나치게 속도를 내거나 혹은 과적을 하다가 길 밖으로 빠져 엎어진 수레들이 많이 있었고 도로에는 그 수레들의 바퀴자국도 그대로 남아있었다. 수레를 모는 자는 앞서 수레를 몰다 엎어진 수레를 보며 그것을 경계로 삼아야 하며 엇나간 수레바퀴 자국을 보며 늘 긴장해야만 한다. 그렇지 않으면 똑같이 길가에 엎어진 수레 중 하나가 될 뿐이다.

여담으로 수레는 아주 중요한 물건이었다. 이동수단일 뿐 아니라 전쟁의 수단이기도 했다. 전국시대에는 각 나라마다 수레바퀴의 폭이 달라서 길에 패인 수레바퀴 자국도 다 달랐다. 이는 다른 나라의 수레가 자국에 들어와서 빨리 이동하지 못하게 하는 방어수단이기도 했다. 진시황은 천하를 통일한 후 각 나라의 수레바퀴 폭을 통일하게 하였고 천하의 모든 길이 동시에 두 대의 수레가 통과할 수 있도록 폭을 넓혔다.

臥薪嘗膽

'섶에 눕고 쓸개를 맛본다.'는 이 말은 원수를 갚기 위해 온갖 고난을 참고 견딤을 이르는 말이다. 춘추전국시대 오나라와 월나라간의 싸움에서 유래된 표현이다. 오나라의 왕 합려는 월왕 구천을 얕보고 월나라에 침공을 감행하였다가 패퇴함은 물론 심각한 부상을 입어 결국 죽게 된다. 죽기 전 아들 부차에게 원수를 갚을 것을 유언으로 남기자 부차는 가시가 많은 장작 위에 누워 자며 원수 갚을 것을 다짐하였다. 구천은 기선을 제압하기 위해 오나라로 쳐들어갔으나 복수를 다짐하여 길러온 부차의 군대를 당하지 못하였고 대패를 당하며 도리어 월나라의 수도가 포위당하게 된다. 구천은 남은 군사를 수습하여 회계산으로 들어가 농성하였으나 견디지 못하고 항복하였다. 부차는 구천을 죽이지 않고 종으로 삼아 부차의 무덤지기로 보내 온갖 고역과 수모를 받게 한다. 외출을 할 때면 월나라의 재상이던 범려를 밟고 수레를 탔으며 구천에게는 말고삐를 잡게 했다. 부차는 2년간 온갖 고생을 한 구천이 진심으로 속죄했다고 생각하고는 월나라로 돌려보내준다. 귀국한 구천은 이 원수를 반드시 갚겠다고 다짐하고는 고기를 먹지 않고 잡곡만 먹었으며 무명옷을 입고 초가집에서 섶나무를 펴고 잤다. 식탁 위에는 쓰디쓴 쓸개를 달아놓고 음식을 먹을 때마다 쓸개를 맛보고는 "구천아, 너는 회계산의 치욕을 잊어버렸단 말이냐?"하고 외치게 했다. 이렇듯 구천은 스스로 검약한 생활을 하며 인구진작과 경제부흥을 위한 정책을 펴며 복수를 위한 준비를 차근차근 진행하였고 군대를 기르며 국가의 재정 역시 튼튼하게 하였다. 이때 오나라의 왕 부차는 중원 국가인 제나라를 격파하며 승리를 거두고 중원진출에 대한 야심을 드러냈다. 충신인 오자서는 월나라와 구천을 경계하며 월나라를 공격할 것을 진언하였으나 부차는 듣지 않고 오자서에게 자결을 명한다. 부차가 다시 중원으로 진출을 시도하자 구천은 정예병 5만 명을 동원해 오나라를 공격하여 대승을 거둔다. 마침내 부차를 고소산에서 포위하고 오나라를 멸망시키는

데 성공한다. 구천은 부차를 죽이지 않고 회계 동쪽에 있는 작은 섬인 용동이란 곳에 보내준다. 부차는 굴욕을 견디지 못하고 자결하고 되고, 구천은 부차를 국왕의 예로 장례를 치러준다. 이것이 臥薪嘗膽의 고사다.

愚公移山

　　愚公移山은 『列子』에 나오는 이야기로 '우공이 산을 옮기다'라는 의미다. 지금은 꾸준히 노력하면 안 될 일이 없다는 의미로 쓰인다. 옛날 북산에 우공이라는 아흔 살 노인이 살았는데 노인의 집 앞에 넓이가 700리, 높이가 만 길인 태행산과 왕옥산이 가로막고 있어 생활하기가 매우 불편했다. 어느날 우공은 가족들에게 모두 힘을 합쳐 산을 옮기자고 제안한다. 가족들은 반대했으나 우공은 자신의 뜻을 굽히지 않았고 자식들과 산의 돌을 깨고 흙을 퍼서 삼태기에 담아 발해의 은토라는 곳으로 실어 날랐다. 그런데 은토는 워낙 먼 곳이라 흙을 한 번 버리고 오는데 한 해가 걸렸다. 이를 본 친구 智叟라는 자가 웃으면 만류하자 우공은 "비록 내가 늙었지만 아들도 있고 손자도 있다. 그 손자가 또 자식을 낳고 자자손손 대를 잇지만 산은 더 불어나는 일이 없다. 그러니 산은 언젠가 평평하게 될 날이 오겠지."라고 답하였다. 이 말을 들은 산신령은 정말로 산을 옮겨버릴까 두려워서 옥황상제에게 이 일을 알리고 말려달라고 호소하였다. 하지만 옥황상제는 우공의 정성에 감동하여 두 산을 다른 곳으로 들어 옮기게 하였다. 이러한 일은 단순히 우스갯소리나 전설로 넘길 일들은 아니다. 세상에는 실제로 우공이산을 실현한 사람들이 있기 때문이다. 인도에는 다쉬랏 만지라는 사람이 22년간 돌산 하나를 통째로 깎아 길을 낸 일이 있고 중국에서는 왕 씨라는 사람은 혼자서 5년 반 동안 400미터의 터널을 뚫은 일이 있다. 당 씨라는 사람은 17년간의 공사 끝에 100미터의 터널을 뚫기도 했다. 이렇듯이 세상에는 마음먹고 실천으로 옮기면 못해낼 일이 없는 법이다. 의지와 노력이 있다면 실패를 겪더라도 언제라도 일어날 수 있다.

제3장

. . .

지혜로운 삶의 길잡이

고사성어

街談巷說　　【출전】『漢書』〈藝文志〉
길거리나 세상 사람들 사이에 떠도는 이야기나 뜬소문을 이르는 말.

佳人薄命　　【출전】『東坡集』〈薄命佳人〉
아름다운 사람은 운명이 가혹하다는 뜻으로, 재주가 많고 출중한 사람의 운명이 의외로 평탄하지 않을 때 쓰는 말.

刻骨難忘　　【출전】『左氏傳』
깊이 새기어 두고 은혜를 잊지 않음을 뜻함. (白骨難忘, 結草報恩)

格物致知　　【출전】『大學』
사물의 이치를 연구하여 후천적인 지식을 명확히 함.

犬兎之爭　　【출전】『戰國策』〈齊策〉
개와 토끼의 싸움이라는 뜻으로 만만한 두 사람이 싸우다 지치는 바람에 제3자가 이득을 보는 것. (漁父之利)

結草報恩　　【출전】『左傳』〈宣公 15年〉
풀을 묶어 은혜를 갚는다는 뜻으로 남에게 입은 은혜를 끝까지 갚는다는 말.

鷄口牛後　　【출전】『史記』〈蘇秦傳〉
큰 집단의 말단보다는 작은 집단의 지도자가 되는 것이 나음을 말함.

鷄肋　【출전】『後漢書』〈楊修傳〉

닭갈비처럼 별 쓸모는 없으나 버리기는 아까운 것처럼 버릴 수도 없고 취할 수도 없는 경우.

鷄鳴狗盜　【출전】『史記』〈孟嘗君傳〉

하찮은 재주를 가지고 있지만 꾀를 써서 주인에게 보답하는 사람을 이르는 말.

股肱之臣　【출전】『書經』〈益稷扁〉

다리와 팔뚝에 비길만한 신하라는 뜻으로, 임금이 가장 가까이 하며 신임하는 신하를 뜻함. (柱石之臣, 社稷之臣)

姑息之計　【출전】『禮記』〈檀弓篇〉

생각이 단순하거나 당장에 편한 것만 찾는 것을 비유. (彌縫策, 下石上臺)

曲學阿世　【출전】『史記』〈儒林傳〉

배운 학문을 왜곡시켜 시류나 이익에 영합함을 의미함.

過猶不及　【출전】『論語』〈先進篇〉

지나친 것은 미치지 못하는 것과 같다는 뜻.

刮目相對　【출전】『三國志』〈吳志〉

학식이나 재주가 매우 높아 눈을 비비고 다시 볼 정도로 놀라운 성장을 일컫는 말.

巧言令色　【출전】『論語』〈學而篇〉

남의 비위를 맞추는 달콤한 말과 이로운 조건만 들어 상대방이 듣기 좋게 하는 말. (甘言利說)

矯枉過直　　【출전】『後漢書』〈仲長統傳〉

잘못을 바로 잡으려다가 지나쳐서 오히려 나쁘게 됨을 이르는 말. (矯角殺牛)

膠柱鼓瑟　　【출전】『史記』〈廉頗藺相如傳〉

거문고의 까치발을 아교를 붙여서 연주한다는 뜻으로 규칙에 얽매여 융통성이 없는 사람을 이르는 말.

狗尾續貂　　【출전】『晉書』〈趙王倫傳〉

개꼬리로 담비 꼬리를 잇는다는 뜻으로 어떤 일이 앞은 잘 되었으나 뒤가 잘못된 경우의 비유. (龍頭蛇尾)

口蜜腹劍　　【출전】『十八史略』

겉으로는 친절한 체하지만 속으로는 해칠 생각을 가짐을 비유하여 일컫는 말. (面從腹背, 笑裏藏刀, 笑中有劍)

口尙乳臭　　【출전】『史記』〈高祖記〉

입에서 아직 젖 냄새도 가시지 않았다는 뜻으로, 나이가 어리고 경험이 없어 言行이 유치한 경우 비웃으며 하는 말.

口耳之學　　【출전】『荀子』〈勸學篇〉

귀로 들은 즉시 입으로 내뱉어버리는 배움이란 뜻. 들은 것을 깊이 새겨보지 않고 그대로 남에게 전하기만 하여 조금도 자기 것으로 만들지 못한 학문을 말함.

群鷄一鶴　　【출전】『晉書』〈忠義傳〉

많은 닭 가운데 학이 서 있다는 뜻으로, 사람됨이 출중한 것을 일컬음.

橘化爲枳　　【출전】『晏子春秋』

기후와 풍토가 다르기 때문에 강남에 심은 귤을 강북에 옮겨 심으면 탱자로

되는 것처럼 사람도 주위 환경에 따라 달라진다는 것을 비유. (南橘北枳)

金蘭之契　　【출전】『易經』〈繫辭傳〉

쇠같이 단단하고 난초처럼 향기로운 사귐. (金蘭之交)

錦上添花　　【출전】王安石〈卽事〉

비단 위에 꽃 장식을 첨가했다는 뜻으로, 본래부터 좋던 것이 더욱 좋아짐을
비유.

錦衣夜行　　【출전】『史記』〈項羽本紀〉

비단옷을 입고 밤길을 다닌다는 뜻으로, 출세를 하더라도 남들이 알아주지
않으면 쓸데없다는 말.

落穽下石　　【출전】韓愈〈柳子厚墓誌銘〉

우물에 빠진 사람에게 돌을 던진다는 뜻으로, 남이 어려운 처지에 놓였는데도
도와주지는 않고 오히려 박해를 가하는 경우를 일컬음. (投井下石, 幸災樂禍)

難兄難弟　　【출전】『世說新語』〈方正篇〉

형이라 하기도 어렵고 아우라 하기도 어렵다는 뜻으로, 두 가지 사물이나 사
람의 우열을 가리기 어려울 때 쓰는 말.

南柯一夢　　【출전】李公佐『南柯記』

인간의 富貴功名은 한낱 꿈같다는 말. (一場春夢, 邯鄲之夢, 邯鄲夢枕)

囊中之錐　　【출전】『東軒筆錄』

주머니 속에 든 송곳이라는 뜻으로, 사람이 재주를 숨기려고 해도 결국 알려
진다는 말. (毛遂自薦)

囊中取物　　【출전】『三國志』

주머니 속에 든 물건을 가진다는 뜻으로, 힘 안들이고 쉽게 얻을 수 있는 물건이나 손쉽게 이룰 수 있는 말을 비유.

壟斷　　【출전】『孟子』〈公孫丑 下〉

둔덕을 깎아 세운 듯이 높은 곳이라는 말에서 유래하여 이익을 독점함을 뜻함.

多岐亡羊　　【출전】『列子』〈說符篇〉

학문의 길은 여러 갈래여서 올바른 길을 찾기가 어렵다는 것을 표현한 말.

多多益善　　【출전】『史記』〈淮陰侯列傳〉

많으면 많을수록 좋다는 뜻. (多多益辨)

斷機之敎　　【출전】『烈女傳』

베틀의 옷감을 끊어버린 가르침이라는 뜻으로, 자식의 교육을 위해 헌신하는 어머니의 정성을 일컫는 말. (三遷之敎)

簞食瓢飮　　【출전】『論語』〈雍也篇〉

도시락밥과 표주박 물이라는 뜻으로, 소박하고 청빈한 생활을 뜻함.

螳螂拒轍　　【출전】『莊子』〈天地篇〉

자기 힘은 생각지도 않고 무모하게 대항함을 비유한 말.

大器晩成　　【출전】『老子』

큰 그릇은 늦게 이루어진다는 뜻으로, 크게 될 사람은 성취는 더딜 수 있지만 일단 이루어지면 남과 비교가 되지 않는다는 말.

同病相憐 　　【출전】『吳越春秋』〈闔閭內傳〉

같은 병을 앓아 아픔을 함께한다는 뜻으로, 비슷한 처지에 놓인 사람들끼리 도우며 살아가는 것을 말함.

登高自卑 　　【출전】『中庸』

높은 곳에 오르려면 낮은 곳에서부터 출발해야 한다는 뜻으로, 모든 일에는 순서가 있다는 말.

登龍門 　　【출전】『後漢書』〈李膺傳〉

잉어가 용문에 오른다는 뜻으로, 입신출세의 어려운 관문을 비유하여 이르는 말.

馬耳東風 　　【출전】李白〈答王十二寒夜獨酌有懷〉

남의 말을 신중하게 새겨듣지 않고 흘려듣는다는 말.

磨斧作針 　　【출전】『唐書』〈文藝傳〉

도끼를 갈아 바늘을 만든다는 뜻으로, 아무리 어려운 일이라도 끈기 있게 노력하면 이룰 수 있음을 비유하는 말. (鐵杵成針, 磨杵作針, 水滴穿石)

亡羊補牢 　　【출전】『戰國策』〈楚策〉

양을 잃어버린 뒤 양우리를 고쳐도 늦지 않았다는 뜻. (亡牛補牢)

麥秀之嘆 　　【출전】『論語』〈微子篇〉

보리가 무성하게 자란 것을 보고 내는 탄식이란 뜻으로, 세상이 바뀌어 지난 날 화려했던 고장이 폐허가 되었을 때 쓰는 말.

盲人摸象 　　【출전】『涅槃經』

장님이 코끼리를 만지는 식으로, 사물의 일부만을 알면서 함부로 전체에 대한 결론을 내리는 좁은 견해.

明鏡止水　【출전】『莊子』〈德充符篇〉

때 묻지 않은 맑은 거울과 괴어있어 수면이 잔잔한 물이란 뜻으로, 사람의 고요하고 맑은 마음가짐을 비유.

明哲保身　【출전】『書經』〈說明篇〉

어지러운 세상에서 이치에 밝아 제 몸을 잘 보호함을 뜻함.

矛盾　【출전】『韓非子』〈難一難世篇〉

창과 방패라는 뜻으로, 말이나 행동의 앞뒤가 서로 맞지 않음을 뜻함. (自家撞着)

尾生之信　【출전】『史記』〈蘇秦列傳〉

신의가 두터움 혹은 고지식한 행위라는 의미로 신의가 매우 두텁다는 면에서는 칭찬을, 지나치게 고지식하다는 면에서는 비난받음을 일컬음. (抱柱之信)

傍若無人　【출전】『史記』〈刺客列傳〉

주변에 사람이 없는 듯이 행동한다는 뜻으로, 성격이 활달해서 남의 이목에 얽매이지 않고 자유롭게 행동하거나 오만불손한 태도를 보이는 것을 이르는 말.

百年河淸　【출전】『左傳』〈襄公八年條〉

黃河의 물이 맑아지기를 무작정 기다린다는 뜻으로, 아무리 기다려도 실현될 수 없는 일을 언제까지나 기다릴 때 쓰는 말. (千年河淸, 不知何歲月)

白眉　【출전】『三國志』〈蜀志馬良傳〉

여럿 가운데서 가장 뛰어난 사람을 일컫는 말. (壓卷, 出衆, 群鷄一鶴)

伯樂一顧　【출전】『戰國策』〈燕策〉

명마가 백락의 눈에 띄어 그 재능이 알려진다는 뜻으로, 자신의 재능이 현자의 인정을 받는 것을 비유.

白面書生　　【출전】『宋書』〈沈慶之傳〉

얼굴이 하얀 선비라는 뜻으로 실제적인 업무에 대한 경험이 없고 책을 통해
이론적으로만 아는 사람을 가리킴.

伯仲之勢　　【출전】『典論』

세력이 엇비슷해 우열을 가릴 수 없는 형세를 뜻함. (難兄難弟, 莫上莫下)

不恥下問　　【출전】『論語』〈公冶長篇〉

겸허하고 부끄럼 없이 배움을 즐기는 것을 이르는 말.

附和雷同　　【출전】『禮記』〈曲禮篇〉上篇

주관이 없이 경솔하게 남의 이야기에 찬동하는 태도를 비유.

氷炭不容　　【출전】『三國志』〈蜀志〉〈魏延傳〉

물과 불처럼 서로 용납되기 어려운 경우나 사물을 일컫는 말. (氷炭不相容,
水火不相容)

脾肉之歎　　【출전】『三國志』〈蜀志〉

넓적다리에 살이 붙음을 탄식한다는 말로, 자기의 뜻을 펴지 못하고 허송세
월 하는 것을 뜻함.

三顧草廬　　【출전】『三國志』〈蜀志諸葛亮傳〉

유비가 제갈공명을 성심을 다해 청하듯이 인재를 얻기 위해 수고를 아끼지
않음을 뜻함.

三遷之敎　　【출전】『烈女傳』

세 번 거처를 옮긴 가르침이라는 뜻으로, 어머니가 자식을 훌륭하게 가르치
기 위해 노력하는 것을 비유. (孟母三遷)

桑田碧海　　【출전】劉廷芝 詩〈代悲白頭翁〉

뽕나무 밭이 푸른 바다로 변한다는 뜻으로, 세상이 몰라볼 정도로 바뀐 것을 비유. (滄海桑田, 滄桑之變, 桑滄之變, 陵谷之變)

首丘初心　　【출전】『禮記』〈檀弓上篇〉

여우가 죽을 때 자기가 살던 굴 쪽으로 머리를 두고 죽는다는 뜻으로, 고향을 그리워하는 마음을 일컬음.

首鼠兩端　　【출전】『史記』〈魏紀武安傳〉

구멍 속에서 목을 내민 쥐가 나갈까 말까 망설인다는 뜻으로, 이쪽저쪽 눈치만 살피며 자기에게 이로운 쪽을 택하려는 태도를 이르는 말.

漱石枕流　　【출전】『晉書』〈孫楚傳〉

물로 양치질하고 흐르는 물로 베개를 삼는다는 뜻으로, 남에게 지기 싫어하는 마음이 강해서 억지로 무리한 이유를 붙이는 것을 뜻함. (牽强附會, 我田引水)

食少事煩　　【출전】『晉書』〈宣帝記〉

식사는 적고 해야 할 일은 많다는 뜻으로, 자신의 몸은 돌보지 않고 일에 몰두하는 태도를 비유. 대체로 좋은 의미보다는 나쁜 뜻으로 쓰임.

識字憂患　　【출전】『三國志』

아는 것이 근심거리의 시작이라는 뜻으로, 우리 속담 '아는 것이 병, 모르는 게 약'과 같은 말.

身言書判　　【출전】『唐書』〈選擧志〉

풍채와 언변과 문장력과 판단력이라는 뜻으로, 예부터 선비가 가져야 할 미덕이라고 한 네 가지 기준을 이르는 말.

阿鼻叫喚　　　【출전】『千手經』

阿鼻地獄에서 외치는 신음 소리라는 뜻으로, 사고나 재앙을 당해 사람들이 외치는 비명을 비유. 차마 눈 뜨고 볼 수 없는 참상을 일컫는 말.

羊頭狗肉　　　【출전】『恒言錄』

양의 머리를 걸어 놓고 개고기를 판다는 뜻으로, 겉은 훌륭하게 보이나 속은 변변치 아니함을 뜻함. (表裏不同, 人面獸心)

梁上君子　　　【출전】『後漢書』〈陣湜傳〉

대들보 위의 군자라는 뜻으로, 도둑을 다르게 표현하는 말.

養虎遺患　　　【출전】『史記』〈項羽本紀〉

호랑이를 길러 근심을 남기듯 화근이 될 만한 일을 내버려두어 화를 키움을 뜻함.

拈華微笑　　　【출전】『大梵天王問佛決疑經』

마음에서 마음으로 전함을 의미함. (以心傳心, 敎外別傳, 不立文字, 拈華示衆, 心心相印)

寤寐不忘　　　【출전】『詩經』〈國風〉

자나 깨나 잊지 못한다는 뜻으로, 근심이나 생각 때문에 잠 못 드는 것을 일컬음. 주로 사랑하는 연인이 그리워서 잠 못 드는 경우에 많이 쓰임.

吳越同舟　　　【출전】『孫子』〈九地篇〉

서로 적의를 품은 자들이 같은 처지에 있는 때는 서로 돕게 됨을 뜻함. 또는 원수끼리 같은 자리에서 만남을 가리킴.

烏合之衆　　【출전】『後漢書』〈耿弇傳〉

까마귀를 모아 놓은 군대라는 뜻으로, 임시로 모아 훈련이 부족하고 규율이 없는 군대. 즉, 어중이떠중이를 비유. (烏合之卒)

蝸角之爭　　【출전】『莊子』〈則陽篇〉

달팽이 뿔 위에서의 싸움이란 뜻으로, 하찮은 일로 벌이는 싸움을 비유한 말. (蠻觸之爭)

龍頭蛇尾　　【출전】『碧巖錄』

용 대가리에 뱀 꼬리란 뜻으로, 시작은 요란하고 그럴 듯하지만 끝에 가서는 일이 흐지부지 흐려지는 것을 일컫는 말.

愚公移山　　【출전】『列子』〈湯問篇〉

어떤 일이라도 끊임없이 노력하면 반드시 이루어짐을 뜻함.

一擧兩得　　【출전】『春秋後語』

한 가지 일을 해서 두 가지 이익을 얻는다는 뜻으로, 一石二鳥와 같은 말.

一瀉千里　　【출전】『福慧全書』

한 번 쏟아진 물이 천리를 흐른다는 뜻으로, 문장을 써 나가는 필력이 굳센 것을 비유. 오늘날에는 어떤 일이 급속도로 진행되어 순식간에 이루어지는 것을 말함.

一葉知秋　　【출전】『淮南子』〈說山訓篇〉

하나의 낙엽 잎을 보고 가을이 온 것을 안다는 뜻으로, 하나의 작은 기미를 보고도 전반적인 변화를 예측할 수 있다는 말. (一葉落天下知秋)

自强不息　　【출전】『易經』〈乾卦 象傳〉

스스로 힘쓰고 쉬지 아니한다는 뜻. (自彊不息)

作心三日　　【출전】『孟子』〈騰文公章句〉

한 번 결심한 마음이 사흘을 가지 못한다는 뜻으로, 결심한 일이 오래가지
못할 때 쓰는 말.

漸入佳境　　【출전】『晉書』〈顧愷之傳〉

점차 아름다운 상황으로 접어든다는 뜻으로, 일이나 예술 작품이 시간이 지
날수록 더욱 그 광채를 발휘할 때 쓰는 말.

井底之蛙　　【출전】『後漢書』〈馬援傳〉

우물 속 개구리라는 뜻으로, 식견이 좁아 세상 물정을 전혀 모르는 사람을
일컫는 말.

朝令暮改　　【출전】『漢書』〈食貨志〉

아침에 내린 법령을 저녁에 고친다는 뜻으로, 정책이 일관성이 없어서 제대
로 정착되기도 전에 뜯어고치는 한심한 작태를 일컫는 말.

左顧右眄　　【출전】『與吳季重書』

왼쪽을 바라보고 오른쪽을 돌아다본다는 뜻으로, 생각을 여러 갈래로 해본다
는 말.

走馬看山　　【출전】『舊唐書』〈孟郊傳〉

달리는 말 위에서 산천을 구경한다는 뜻으로, 자세히 관찰하지 않고 대충대
충 보고 지나간다는 말. (走馬看花, 走馬觀花)

衆寡不敵 【출전】『孟子』〈梁惠王章句〉

적은 숫자로 많은 숫자를 대적할 수 없다는 뜻으로, 처음부터 역량 차이가 커서 싸움의 상대가 못 된다는 말.

滄海一粟 【출전】『前赤壁賦』

망망한 바닷가에 뿌려진 좁쌀 한 알과 같다는 뜻으로, 극히 하찮거나 미미한 것을 비유.

天高馬肥 【출전】杜審言〈五言排律〉

하늘은 높아지고 말이 살찌는 계절이라는 뜻으로, 가을날의 아름답고 풍성한 정경을 비유.

千慮一失 【출전】『史記』〈淮陰侯列傳〉

아무리 총명한 사람도 많은 생각을 하다보면 한두 가지 실수나 그릇된 판단을 할 수 있다는 말.

泉石膏肓 【출전】『唐書』〈隱逸傳〉

산수자연을 몹시 사랑함을 의미. (煙霞痼疾)

天衣無縫 【출전】『靈怪錄』

선녀가 만든 옷은 꿰맨 흔적이 없다는 뜻으로, 완벽하거나 자그마한 흠점도 없는 경우를 비유.

千載一遇 【출전】『三國名臣序纂』

천 년이 지나야 한 번 만날 수 있다는 뜻으로, 아주 드물게 오는 기회를 말함.

千篇一律 【출전】『全唐詩說』

천 편이나 되는 많은 글이 모두 한 가지 운율로 짜여 있다는 뜻으로, 작품이나 상황이 전에 비해 별반 발전이 없거나 시운의 글귀가 단조로워 변화가 적은 경우를 비유.

寸鐵殺人　　【출전】『鶴林玉露』

한 치 밖에 안 되는 쇠붙이로 사람을 죽인다는 뜻으로, 짤막한 驚句로 사람의 의표를 찔러 핵심을 꿰뚫는 것을 말함.

他山之石　　【출전】『詩經』〈鶴鳴〉

남의 집 산에 있는 돌이라는 뜻으로, 다른 사람에게는 아무 쓸모없는 돌이라도 옥돌을 갈고 닦을 때에는 긴요하게 쓸 수 있다는 말.

泰山北斗　　【출전】『新唐書』〈韓愈傳〉

학문과 덕이 고상하고 문학에 큰 성과가 있는 사람을 일컬음.

夏爐冬扇　　【출전】『論衡』〈逢遇篇〉

여름날의 화로와 겨울날의 부채라는 뜻으로, 필요할 때는 환영받다가 불필요해지면 천대받는 물건이나 경우를 비유. (無用之物)

好事多魔　　【출전】『蜃中樓傳奇』

좋은 일에는 나쁜 일도 많이 뒤따른다는 뜻으로, 좋은 일이 성취되기 위해서는 그만큼 노력과 고충이 뒤따른다는 말.

浩然之氣　　【출전】『孟子』

어떤 사물에도 구애됨이 없는 넓고 큰 기운이나 공명정대하여 흔들리거나 꺾이지 않는 도덕적 용기를 말함.

胡蝶之夢　　【출전】『莊子』

장자가 꿈에 나비가 되어 놀았다는 이야기에서 유래하여 인생의 덧없음을 이르는 말.

畵龍點睛　　【출전】『水衡記』

용을 그릴 때 마지막으로 눈동자에 점을 찍어 완성시킨다는 뜻으로, 가장 중요한 부분을 완성하여 일을 끝낸다는 것을 의미.

畵蛇添足　　【출전】『戰國策』〈齊策〉

뱀을 그리는데 없는 발까지 더함. 즉, 안 해도 될 쓸데없는 일을 하다가 도리어 일을 그르치는 경우.

畵中之餠　　【출전】『三國志』〈魏志〉

그림속의 떡으로 요기를 한다는 뜻으로, 허황된 상상으로 자신을 위안한다는 말. (畵餠充飢)

換骨奪胎　　【출전】『冷齋夜話』

고인이 지은 詩文의 뜻과 어구를 자기 것으로 소화한 뒤 그것을 바탕으로 독자적인 시문을 지음. 또는 용모가 변하여 전보다 아름답게 됨을 뜻함.

膾炙人口　　【출전】『孟子』〈盡心章句〉

맛있는 음식처럼 詩文 등이 사람들의 입에 많이 오르내리며 이야깃거리가 되는 것을 비유.

後生可畏　　【출전】『論語』〈子罕篇〉

뒤에 오는 사람들은 두려워할 만하다는 뜻으로, 젊은 세대들이 무한한 잠재력을 가지고 발전해 오는 것을 비유.

▶ 교수신문 선정 역대 〈올해의 사자성어〉

1992년 4월 창간된 '교수 신문'에서는 2001년부터 2016년까지 국내 주요 사건을 바탕으로 사자성어 하나를 선정하여 발표했다.

2001년 五里霧中

짙은 안개 속에 들어서게 되면 방향을 찾기 어려운 것처럼 무슨 일에 대해 알 길이 없음을 일컫는 말. 사회 각계의 부도덕성으로 원칙과 기본 질서가 서지 않는 한국사회를 비판함.

2002년 離合集散

헤어졌다가 만나고 모였다가 다시 흩어지는 일. 권력을 좇아 철새처럼 움직이는 정치인들을 풍자함.

2003년 右往左往

오른쪽으로 갔다 왼쪽으로 갔다 하며 일이나 나아가는 방향을 종잡지 못함. 대선자금 수사로 정치권의 치부가 적나라하게 드러났음에도 불구하고 오히려 정쟁만 일삼는 점을 꼬집은 말.

2004년 黨同伐異

옳고 그름을 가리지 않고 한 무리에 속한 사람들이 다른 무리의 사람을 무조건 배격하는 것. 정파적 입장이나 이해관계에 따라 첨예하게 대립하는 정치권을 비판하는 말.

2005년 上火下澤

불이 위에 놓이고 연못이 아래에 놓인 모습으로 사물이 서로 離反하고 分裂하는 현상을 나타냄. 행정복합도시 건설로 인한 분쟁, 이념 색깔논쟁, 지역갈등 등을 꼬집은 말.

2006년 密雲不雨

짙은 구름이 끼여 있으나 비가 오지 않는다는 뜻으로, 어떤 일의 징조만 있고 그 일은 이루어지지 않음을 이르는 말. 사회적 갈등, 부동산 급등, 북 핵 실험 등 사회 각층의 불만이 폭발직전의 임계점에 다다름.

2007년 自欺欺人

자신을 속이고 남을 속인다는 뜻으로, 자신도 믿지 않는 말이나 행동으로 남까지 속이는 사람을 풍자함. 학력위조, 논문표절, 정치인 대기업의 도덕적 해이 및 불감증이 만연함.

2008년 護疾忌醫

병을 숨기면서 의원에게 보이기를 꺼린다는 뜻으로, 자신의 결점을 감추고 남의 충고를 듣지 않음을 비유하는 말. 미국산 소고기 파동, 촛불시위, 금융위기를 처리하는 정부의 대응방식을 질타함.

2009년 旁岐曲徑

샛길과 굽은 길이라는 뜻으로, 일을 바른 길을 좇아서 순탄하게 하지 않고 그릇되고 억지스럽게 함을 이르는 말. 세종시 수정, 4대강 사업추진, 미디어법 처리 등 타협과 합의를 이루지 못하고 샛길로 돌아감을 비판.

2010년 藏頭露尾

머리는 숨겼으나 꼬리가 드러나 있다는 뜻으로, 진실을 숨기려 하지만 거짓의 실마리는 이미 드러나 있다는 의미. 4대강 논란, 천안함 침몰, 민간인 불법사찰, 한미 FTA, 예산안 날치기 등 많은 의혹을 해명하지 못하고 감추려는 모습을 질타함.

2011년 掩耳盜鐘

귀를 막고 종을 훔친다는 뜻으로, 자기만 듣지 않으면 남도 듣지 못한다고 생각하는 어리석은 행동. 한미 FTA 비준안 통과, 대통령 측근 비리, 선관위 홈페이지 공격 의혹 등 비판.

2012년 **擧世皆濁**

온 세상이 다 흐리다는 뜻으로, 지위의 높고 낮음을 막론하고 모든 사람이 다 바르지 않음. MB정부의 부패, 위정자와 공무원, 지식인의 자성을 촉구한 말.

2013년 **倒行逆施**

순리를 거슬러 시행한다는 뜻으로, 곧 도리에 순종하지 않고 일을 행하며 常道를 벗어나서 일을 억지로 함을 의미함. 국민들의 기대와는 달리 역사의 수레바퀴를 후퇴시키는 정책과 인사에 대한 염려 경계.

2014년 **指鹿爲馬**

사슴을 가리켜 말이라고 한다는 뜻. 사실이 아닌 것을 사실로 만들어 강압으로 인정하게 되거나 윗사람을 농락하여 권세를 마음대로 함. 세월호 참사, 정윤회 국정개입 사건 등 정부가 사건 본질을 호도한 것에 대한 비판.

2015년 **昏庸無道**

혼용은 어리석고 무능한 지도자를 가리키며, 나라 상황이 마치 암흑에 뒤덮인 것처럼 온통 어지럽다는 뜻. 메르스 사태 통제무능, 역사 교과서 국정화 논란으로 국력낭비 초래.

2016년 **君舟民水**

백성은 물, 임금은 배이니, 강물의 힘으로 배를 뜨게 하지만 강물이 화가 나면 배를 뒤집을 수도 있다는 뜻; 최순실 국정농단, 박근혜 대통령 헌정농단, 대통령 탄핵안 가결까지 이끌어낸 촛불민심.

격언과 속담

1. 格言

- 大丈夫當容이어든 人無爲人所容이라. 【출전】『景行錄』

- 欲勝人者는 必先自勝이라. 【출전】『呂氏春秋』

- 大明無私照하고 至公無私親이라. 【출전】『古文眞寶 後集』

- 掃地黃金出이요 開門萬福來니라. 【출전】『明心寶鑑』

- 畵虎畵皮難畵骨이요 知人知面難知心이니라.
  【출전】『明心寶鑑』

- 道吾善者는 是吾賊이요 道吾惡者는 是吾師니라.
  【출전】『明心寶鑑』

- 德者는 才之主요 才者는 德之奴라. 有才無德이면 如家無主하여 而奴用事矣라. 幾何不魍魎而猖狂이리오.
  【출전】『菜根譚』

- 瓜田不納履요 李下不正冠이라. 【출전】『文選』

- 衣不厭新이요 人不厭故라. 飢不擇食이요 寒不擇衣라.
  【출전】『文選』

- 不入虎穴이면 不得虎子니라. 【출전】『後漢書』

- 禍從口出하고 病從口入이니라. 【출전】『小學』

- 輕交易絶은 君子所恥니라. 【출전】『禮記』

- 玉不琢이면 不成器요 人不學이면 不知道라. 【출전】『禮記』

- 孝子之養老也는 樂其心하고 不違其志하며 樂其耳目하며 安其寢處니라. 【출전】『禮記』

- 破山中之敵은 易나 破心中之敵은 難이라. 【출전】『陽明全書』

- 智者千慮나 必有一失이요 愚者千慮나 必有一得이라. 【출전】『史記』

- 士는 爲知己者死하고 女는 爲悅己者容이니라. 【출전】『史記』

- 以責人之心으로 責己하고 以恕己之心으로 恕人하라. 【출전】『宋史』

- 古者에 言之不出은 恥躬之不逮也니라. 【출전】『論語』

- 可以取며 可以無取에 取면 傷廉이니라. 【출전】『孟子』

- 知足이면 不辱이요 知止면 不殆니라. 【출전】『老子』

- 君子之交는 淡若水하고 小人之交는 甘若醴니라. 【출전】『莊子』

- 井蛙不知海요 夏蟲不知氷이라. 【출전】『曾子』

- 水至淸則無魚하고 人至察則無徒니라. 【출전】『孔子家語』

- 忠言은 逆於耳而利於行이니라. 【출전】『孔子家語』

- 積善之家에 必有餘慶이요 積惡之家에 必有餘殃이라.
  【출전】『周易』

- 身病은 可醫나 心病은 難醫라. 【출전】『象村集』

- 人生一日에 或聞一善言하며 見一善行하며 行一善事면
  此日엔 方不虛生이니라. 【출전】『象村集』

- 衣以新爲好하고 人以舊爲好니라. 【출전】『旬五志』

- 好女入室하면 醜女尤之하고 忠臣入朝하면 奸臣仇之니
  라. 甘井先渴하고 直木先伐하며 舌存以軟하고 齒亡以
  剛이니라. 【출전】『旬五志』

- 春雨數來와 石墻飽腹과 沙鉢缺耳와 老人潑皮와 小兒
  捷口와 僧人醉酒와 泥佛渡川과 家母手鉅의 八條는 爲
  無用有害之喩니라. 【출전】『旬五志』

- 士夫子弟가 誤入則하면 爲虎爲蠹爲松虫하니라.
  【출전】『旬五志』

- 言勿異於行하고 行勿異於言하라. 【출전】『芝峰集』

- 父母之志가 若非害於義理면 則當先意承順하여 毫忽不
  可違하라. 若其害理者는 則和氣怡色하여 柔聲以諫하여
  反覆開陳하여 必期於聽從하라. 【출전】『擊蒙要訣』

- 衣食之樂은 以忘憂爲樂이요 學問之樂은 以自得爲樂이
  라. 故로 身體는 以衣食而成長이요 心性은 以自得而進
  就니라. 【출전】『明南樓叢書』

2. 俗談

- 難上之木은 勿仰하라. 【출전】『東諺解』

- 虎死留皮하고 人死留名이니라. 【출전】『東諺解』

- 他人之宴에 曰梨曰柿하다. 【출전】『耳談續纂』

- 三歲之習이 至于八十이라. 【출전】『耳談續纂』

- 談虎虎至요 談人人至라. 【출전】『耳談續纂』

- 一日之狗는 不知畏虎라. 【출전】『耳談續纂』

- 積功之塔은 不墮라. 【출전】『耳談續纂』

- 於異阿異라. 【출전】『東言解』

- 對笑顔하면 唾亦難이라. 【출전】『洌上方言』

- 突不燃이면 不生煙이라. 【출전】『洌上方言』

- 千里之行도 始於足下라. 【출전】『靑莊館全書』

- 苦盡甘來하고 興盡悲來라. 【출전】『靑莊館全書』

- 高麗公事가 三日이라. 【출전】『松南雜識』

- 十斫木이면 無不顚이라. 【출전】『旬五志』

- 窮人之事는 翻亦破鼻라. 【출전】『旬五志』

- 針賊이 大牛賊이라. 【출전】『旬五志』

- 晝話는 雀聽하고 夜話는 鼠聽이라. 【출전】『旬五志』

3. 漢譯 成語

- 甘呑苦吐

  달면 삼키고 쓰면 뱉는다.

- 鯨戰蝦死

  고래싸움에 새우등 터진다.

- 鷄卵有骨

  계란에도 뼈가 있다는 뜻으로 일이 안풀리는 사람에게는 순조로운 일을 할 때에도 뜻밖의 장애가 생긴다는 말.

- 堂狗風月

  서당 개 삼 년이면 풍월을 읊는다.

- 同價紅裳

  같은 값이면 다홍치마.

- 燈下不明

  등잔 밑이 어둡다.

- 良藥苦口

  좋은 약은 입에 쓰다.

- 猫項懸鈴

  고양이 목에 방울 달기.

- 西瓜皮舐

  수박 겉핥기.

- 十伐之木

  열 번 찍어서 안 넘어가는 나무가 없다.

- 十匙一飯

  열 숟가락이면 밥 한 그릇, 즉 여러 사람이 힘을 합하여 한 사람을 돕는 일
  은 쉽다는 뜻이다.

- 吾鼻三尺

  내 코가 석 자.

- 烏飛梨落

  까마귀 날자 배 떨어진다.

- 牛耳讀經

  소 귀에 경 읽기.

- 賊反荷杖

  도둑이 도리어 몽둥이를 든다는 말로 죄를 범한 사람이 도리어 성을 냄을
  뜻함.

- 咸興差使

  임무를 띠고 간 사람이 소식이 없음을 일컫는 말.

明心寶鑑

1. 繼善篇

- 子曰 爲善者는 天報之以福하고 爲不善者는 天報之以
  禍니라.

- 昭烈이 將終에 勅後主曰 勿以善小而不爲하고 勿以惡
  小而爲之하라.

- 景行錄曰 恩義를 廣施하라 人生何處인들 不相逢이랴
  讐怨을 莫結하라 路逢狹處면 難回避니라.

- 子曰 見善如不及하고 見不善如探湯하라.

2. 天命篇

- 孟子曰 順天者는 存하고 逆天者는 亡이니라.

- 玄帝垂訓曰 人間私語라도 天聽은 若雷하고 暗室欺心이
  라도 神目은 如電이니라.

- 益智書云 惡鑵이 若滿이면 天必誅之니라.

- 種瓜得瓜요 種豆得豆니 天網이 恢恢하여 疎而不漏니라.

3. 順命篇

● 子曰 死生有命이요 富貴在天이니라.

● 萬事分已定이어늘 浮生空自忙이니라.

● 時來風送滕王閣이요 運退雷轟薦福碑라.

● 列子曰 癡聾痼啞도 家豪富요 智慧聰明도 却受貧이라
年月日時 該載定하니 算來由命不由人이니라.

4. 孝行篇

● 詩曰 父兮生我하시고 母兮鞠我하시니 哀哀父母여 生我
劬勞샷다 報深恩인대 昊天罔極이로다.

● 子曰 孝子之事親也는 居則致其敬하고 養則致其樂하고
病則致其憂하고 喪則致其哀하고 祭則致其嚴이니라.

● 子曰 父母在이시든 不遠遊하며 遊必有方이니라.

● 孝順은 還生孝順子요 忤逆은 還生忤逆兒하나니 不信커
든 但看簷頭水하라 點點滴滴不差移니라.

5. 正己篇

- 性理書에 云 見人之善而尋己之善하고 見人之惡而尋己 之惡이니 如此면 方是有益이니라.

- 子曰 君子有三戒하니 少之時엔 血氣未定이라 戒之在色 하고 及其長也하여는 血氣方剛이라 戒之在鬪하고 及其 老也하여는 血氣旣衰라 戒之在得이니라.

- 荀子曰 無用之辯과 不急之察을 棄而勿治하라.

- 性理書에 子曰 衆이 好之라도 必察焉하며 衆이 惡之라 도 必察焉이니라.

6. 安分篇

- 景行錄云 知足可樂이요 務貪則憂니라.

- 知足常足이면 終身不辱하고 知止常止면 終身無恥니라.

- 書曰 滿招損하고 謙受益이니라.

- 安分吟曰 安分身無辱이요 知幾心自閑이니 雖居人世上 이나 却是出人間이니라.

7. 存心篇

- 景行錄에 云 坐密室을 如通衢하고 馭寸心을 如六馬면 可免過니라.

- 擊壤詩에 云 富貴를 如將智力求인대 仲尼도 年少合封侯라 世人은 不解靑天意하고 空使身心半夜愁이니라.

- 范忠宣公이 戒子弟日 人雖至愚나 責人則明하고 雖有聰明이나 恕己則昏이니 爾曹는 但常以責人之心으로 責己하고 恕己之心으로 恕人이면 則不患不到聖賢地位也니라.

- 施恩이어든 勿求報하고 與人이어든 勿追悔하라.

8. 戒性篇

- 景行錄에 云 人性이 如水하여 水一傾則不可復이요 性一縱則不可反이니 制水者는 必以堤防하고 制性者는 必以禮法이니라.

- 忍一時之忿이면 免百日之憂니라.

- 愚濁生嗔怒는 皆因理不通이라 休添心上火하고 只作耳邊風하라 長短은 家家有요 炎涼은 處處同이라 是非無實相하여 究竟摠成空이니라.

- 景行錄에 云 屈己者는 能處重하고 好勝者는 必遇敵이니라.

9. 勤學篇

- 子夏曰 博學而篤志하고 切問而近思면 仁在其中矣니라.

- 莊子曰 人之不學이면 如登天而無術하고 學而智遠이면 如披祥雲而覩靑天하고 如登高山而望四海니라.

- 禮記曰 玉不琢이면 不成器하고 人不學이면 不知義니라.

- 韓文公曰 人不通古今이면 馬牛而襟裾니라.

10. 訓子篇

- 景行錄에 云 賓客不來면 門戶俗하고 詩書無敎면 子孫愚니라.

- 莊子曰 事雖小나 不作이면 不成이요 子雖賢이나 不敎면 不明이니라.

- 漢書에 云 黃金滿籝이 不如敎子一經이요 賜子千金이 不如敎子一藝니라.

- 至樂은 莫如讀書요 至要는 莫如敎子니라.

11. 省心篇〈上〉

- 榮輕辱淺이오 利重害深이니라.

- 子曰 不觀高崖면 何以知顚墜之患이며 不臨深泉이면 何以知沒溺之患이며 不觀巨海면 何以知風波之患이리오.

- 天有不測風雨하고 人有朝夕禍福이니라.

- 黃金千兩이 未爲貴요 得人一語勝千金이니라.

12. 省心篇〈하〉

- 王良曰 欲知其君인대 先視其臣하고 欲識其人인대 先視其友하고 欲知其父인대 先視其子하라 君聖臣忠하고 父慈子孝니라.

- 家語云 水至淸則無魚하고 人至察則無徒니라.

- 器滿則溢하고 人滿則喪이니라.

- 太公曰 日月이 雖明이나 不照覆盆之下하고 刀刃이 雖快나 不斬無罪之人하고 非災橫禍는 不入愼家之門이니라.

13. 立教篇

- 子曰 立身有義而孝其本이요 喪祀有禮而哀爲本이오 戰陣有列而勇爲本이요 治政有理而農爲本이요 居國有道而嗣爲本이요 生財有時而力爲本이니라.

- 景行錄에 云 爲政之要는 曰公與淸이요 成家之道는 曰儉與勤이라.

- 讀書는 起家之本이요 循理는 保家之本이요 勤儉은 治家之本이요 和順은 齊家之本이니라.

- 孔子三計圖에 云 一生之計는 在於幼하고 一年之計는 在於春하고 一日之計는 在於寅이니 幼而不學이면 老無所知요 春若不耕이면 秋無所望이요 寅若不起면 日無所辦이니라.

14. 治政篇

- 宋太宗御製云 上有麾之하고 中有乘之하고 下有附之하여 幣帛衣之요 倉廩食之하니 爾俸爾祿이 民膏民脂니라 下民은 易虐이어니와 上天은 難欺니라.

- 童蒙訓曰 當官之法이 唯有三事하니 曰淸 曰愼 曰勤이니 知此三者면 則知所以持身矣니라.

- 抱朴子曰 迎斧鉞而正諫하며 據鼎鑊而盡言이면 此謂忠臣也이니라.

15. 治家篇

- 司馬溫公이 曰 凡諸卑幼事無大小이요 毋得專行하고 必
  咨稟於家長이니라.

- 待客은 不得不豊이요 治家는 不得不儉이니라.

- 子孝雙親樂이요 家和萬事成이니라.

- 文仲子曰 婚娶而論財는 夷虜之道也니라.

16. 安義篇

- 顏氏家訓에 曰 夫有人民而後에 有夫婦하고 有夫婦而
  後에 有父子하고 有父子而後에 有兄弟하니 一家之親
  은 此三者而已矣라. 自兹以往으로 至于九族이 皆本於
  三親焉이라. 故로 於人倫에 爲重也이니 不可不篤이니
  라.

- 莊子曰 兄弟는 爲手足하고 夫婦는 爲衣服이니 衣服破
  時엔 更得新이어니와 手足斷處엔 難可續이니라.

- 蘇東坡云 富不親兮貧不疎는 此是人間大丈夫요 富則進
  兮貧則退는 此是人間眞小輩니라.

17. 遵禮篇

- 子曰 居家有禮故로 長幼辨하고 閨門有禮故로 三族和하고 朝廷有禮故로 官爵序하고 田獵有禮故로 戎事閑하고 軍旅有禮故로 武功成이니라.

- 子曰 君子有勇而無禮면 爲亂하고 小人有勇而無禮면 爲盜니라.

- 若要人重我면 無過我重人이니라.

- 父不言子之德하며 子不談父之過니라.

18. 言語篇

- 劉會曰 言不中理면 不如不言이니라.

- 君平曰 口舌者는 禍患之門이요 滅身之斧也니라.

- 利人之言은 煖如綿絮하고 傷人之語는 利如荊棘하여 一言半句에 重値千金이요 一語傷人에 痛如刀割이니라.

- 酒逢知己千鐘少요 話不投機一句多니라.

19. 交友篇

- 子曰 與善人居면 如入芝蘭之室하여 久而不聞其香이나 卽與之化矣요 與不善人居면 如入鮑魚之肆하여 久而不聞其臭나 亦與之化矣니 丹之所藏者는 赤하고 漆之所藏者는 黑이라 是以로 君子는 必愼其所與處者焉이니라.

- 家語云 與好學人同行이면 如霧露中行하여 雖不濕衣라도 時時有潤하고 與無識人同行이면 如厠中坐하여 雖不汚衣라도 時時聞臭니라.

- 相識은 滿天下하되 知心은 能幾人인고.

- 路遙知馬力이요 日久見人心이니라.

擊蒙要訣

1. 立志章

- 初學 先須立志 必以聖人自期 不可有一毫自小退託之念 蓋衆人與聖人 其本性則一也 雖氣質不能無清濁粹駁之異 而苟能眞知實踐 去其舊染而復其性初 則不增毫末而萬善具足矣 衆人豈可不以聖人自期乎 故孟子道性善 而必稱堯舜以實之曰 人皆可以爲堯舜 豈欺我哉

- 人之容貌 不可變醜爲妍 膂力 不可變弱爲强 身體 不可變短爲長 此則已定之分 不可改也 惟有心志 則可以變愚爲智 變不肖爲賢 此則心之虛靈 不拘於稟受故也 莫美於智 莫貴於賢 何苦而不爲賢智 以虧損天所賦之本性乎 人存此志 堅固不退 則庶幾乎道矣

2. 革舊習章

- 其一 惰其心志 放其儀形 只思暇逸 深厭拘束

- 其二 常思動作 不能守靜 紛紜出入 打話度日

- 其三 喜同惡異 汨於流俗 稍欲修飭 恐乖於衆

- 其四 好以文辭 取譽於時 剽竊經傳 以飾浮藻

- 其五 工於筆札 業於琴酒 優游卒歲 自謂淸致

- 其六 好聚閒人 圍碁局戱 飽食終日 只資爭競

- 其七 歆羨富貴 厭薄貧賤 惡衣惡食 深以爲恥

- 其八 嗜慾無節 不能斷制 貨利聲色 其味如蔗

3. 持身章

- 所謂九思者 視思明(視無所蔽則明無不見) 聽思聰(聽無
  所壅則聰無不聞) 色思溫(容色和舒 無忿厲之氣) 貌思恭
  (一身儀形 無不端莊) 言思忠(一言之發 無不忠信) 事思
  敬(一事之作 無不敬愼) 疑思問(有疑于心 必就先覺審問
  不知不措) 忿思難(有忿必懲 以理自勝) 見得思義(臨財
  必明義利之辨 合義然後取之)

4. 讀書章

- 學者常存此心 不被事物所勝 而必須窮理明善然後 當行
  之道 曉然在前 可以進步 故 入道莫先於窮理 窮理莫先
  乎讀書 以聖賢用心之迹 及善惡之可效可戒者 皆在於書
  故也

- 凡讀書 必熟讀一冊 盡曉義趣 貫通無疑然後 乃改讀他
  書 不可貪多務得 忙迫涉獵也

5. 事親章

- 凡人 莫不知親之當孝 而孝者甚鮮 由不深知父母之恩故
  也 天下之物 莫貴於吾身 而吾身乃父母之所遺也 今有
  遺人以財物者 則隨其物之多少輕重 而感恩之意 爲之深
  淺焉 父母 遺我以身 而擧天下之物 無以易此身矣

- 日月如流 事親 不可久也 故 爲子者 須盡誠竭力 如恐
  不及 可也

제4장
. . .
삶을 풍요롭게 하는 명문장

전통의 연원

1. 鸞郎碑 序文　　　崔致遠

國有玄妙之道　曰風流　設敎之源　備詳仙史　實乃包
含三敎　接化群生　且如入則孝於家　出則忠於國　魯
司寇之旨也　處無爲之事　行不言之敎　周柱史之宗也
諸惡莫作　諸善奉行　竺乾太子之化也

—『三國史記』

・崔致遠(857~미상) : 신라시대 문인. 자는 孤雲·海雲. 869년(경문왕 9) 13세로 당나라
  에 유학하고 874년 과거에 급제하였다. 879년(헌강왕 5) 黃巢의 난 때는 高騈의 從事
  官으로서 <討黃巢檄文>을 초하여 문장가로서 이름을 떨쳤다. 귀국 후 난세를 비관하
  여 각지를 유랑하다가 伽倻山 海印寺에서 여생을 마쳤다.
・魯司寇 : 孔子를 이르는 말. 공자가 일찍이 魯나라의 司寇(사법 대신)란 벼슬을 한 적
  이 있음.
・周柱史 : 老子를 이르는 말.
・竺乾太子 : 석가(釋迦)를 이르는 말. 축건(竺乾 : 天竺 西乾)은 인도의 별칭이며, 석가
  는 정반왕(淨飯王)의 태자였던 데서 온 말.

2. 三國遺事 紀異 序文　　一然

叙曰　大抵古之聖人　方其禮樂興邦　仁義設敎　則怪

力亂神　在所不語　然而帝王之將興也　膺符命　受圖

籙　必有以異於人者　然後　能乘大變　握大器　成大業

也　故河出圖·洛出書　而聖人作　以至虹繞神母而誕

羲　龍感女登　而生炎　皇娥遊窮桑之野　有神童　自稱

白帝子　交通而生小昊　簡狄　吞卵而生契　姜嫄履跡

而生弃　胎孕十四月而生堯　龍交大澤　而生沛公　自

此而降　豈可殫記　然則三國之始祖　皆發乎神異　何

足怪哉　此紀異之所以漸諸篇也　意在斯焉

－『三國遺事』

·一然(1206~1289)：고려시대의 승려이자 학자로 雲門寺 주지로 있으며 왕에게 법을
강론하였다고 전해진다.
·符命：天子가 되라는 하늘의 명령. / ·圖籙：앞으로의 吉凶禍福을 예언한 기록.
·羲：중국 고대 전설상의 제왕. 人頭蛇身의 형상이며 여와와 부부이다. 三皇五帝의
첫 번째이며, 팔괘를 처음으로 만들고 그물을 발명하여 고기잡이의 방법을 가르쳤다
고 한다.
·炎：神農. 어머니는 有嬌氏의 딸로 小典氏의 아내가 되어 神龍에게서 靈感을 얻어
人身牛首의 신농씨를 낳았다. 신농씨는 火德을 가지고 있었기 때문에 炎帝라 하였다.
·小昊：중국 태고 때에 있었다는 전설상의 임금으로 黃帝의 아들.
·簡狄：상고시대 帝嚳의 妃로, 알을 삼키고 契을 낳았다.
·姜嫄：帝嚳의 妃. 后稷의 어머니. 巨人의 발자취를 밟았더니 后稷(周의 시조)을 낳았다.

3. 訓民正音

國之語音　異乎中國　與文字不相流通　故愚民　有所
欲言　而終不得伸其情者　多矣　予爲此憫然　新制二
十八字　欲使人人易習　便於日用耳

―『訓民正音』

· 訓民正音 : 世宗大王이 1446년(세종 28) 9월에 제정·공포한 우리나라의 國字. 제정
　과 해례 편찬은 鄭麟趾를 비롯하여 당시 집현전 학사인 崔恒·朴彭年·申叔舟·成
　三問·姜希顔·李塏 등의 협조로 이루어졌다. 훈민정음은 '백성을 가르치는 바른 소
　리'라는 뜻이다.
· 乎 : '~과'의 의미로 쓰이는 비교격.
· 與 : 더불어.
· 終 : 마침내.
· 憫然 : 불쌍하다.
· 使 : ~로 하여금.

예술과 풍류

1. 陶山十二曲 跋   李滉

右陶山十二曲者 陶山老人之所作也 老人之作此 何

爲也哉 吾東方歌曲 大抵多淫蛙不足言 如翰林別曲

之類 出於文人之口 而矜豪放蕩 兼以褻慢戲狎 尤

非君子所宜尙 惟近世有李鼈六歌者 世所盛傳 猶爲

彼善於此 亦惜哉 其有玩世不恭之意 而少溫柔敦厚

之實也 老人素不解音律 而猶知厭聞世俗之樂 閒居

養疾之餘 凡有感於情性者 每發於詩 然今之詩 異於

古之詩 可詠而不可歌也 如欲歌之 必綴以俚俗之語

·李滉(1501~1570) : 조선 중기의 학자·문신. 호는 退溪. 조선 성리학의 대표적인 사
상가로 이기호발설이 사상의 핵심이다. 영남학파의 비조 추앙받았으며 일본 유학계에
도 큰 영향을 끼쳤다. 도산서원을 설립하여 후진양성과 학문연구에 힘썼다. 주요 작품
으로는 『退溪全書』, 『陶山十二曲』 등이 있다.
·陶山老人 : 이황 자신을 가리키는 말.
·淫蛙 : 음란함. / ·口氣 : 말씨.
·矜豪 : 교만하고 호탕함.
·褻慢戲狎 : 무례하고 방자하며 희롱하고 업신여김.

蓋國俗音節　所不得不然也　故嘗略倣李歌　而作爲陶
山六　曲者二焉　其一言志　其二言學　欲使兒輩　朝夕
習而歌之　憑几而聽之　亦令兒輩　自歌而　自舞蹈之
庶幾可以蕩滌鄙吝　感發融通　而歌者與聽者　不能無
交有益焉　顧自以蹤跡頗乖　若此等閒事　國以惹起鬧
端　未可知也　又未信其以入腔調　諧音節與未也　姑
寫一件　藏之篋笥　時取玩以自省　又以待他日覽者之
去取云爾　嘉靖四十四年歲乙丑　暮春　既望　山老　書

－『陶山十二曲』

- 李鼈 : 조선 중종 때의 문인.
- 玩世不恭 : 세상을 희롱하며 공손하지 못함.
- 矜豪放蕩 : 교만하고 방탕함.
- 溫柔敦厚 : 온화하고 유순하며 두터움. 마음에 어긋남이 없는 경지를 일컫는 말.
- 俚俗 : 상스럽고 속되다는 뜻으로 여기서는 국어, 한글을 지칭한 것이다.
- 憑几 : 책상에 기대는 것.
- 庶幾 : 거의.
- 蕩滌 : 깨끗이 씻는 것.
- 鄙吝 : 비루하고 인색함.
- 感發 : 감동하여 분발함.
- 資益 : 자양분과 이익.
- 鬧端 : 시끄러운 일.
- 嘉靖四十四 : 嘉靖은 명나라 세종의 연호로 1565년에 해당함.

2. 過庭錄　　朴宗采

時有琴師金檍　號風舞子　嘐嘐齋所命也　爲娛新飜鐵
琴　會湛軒室　時夜靜樂作　嘐嘐公　乘月不期而至　聽
笙琴迭作　意甚樂　扣案上銅盤以節之　誦詩伐木章
興勃勃也　已而嘐嘐公　起出戶　久不入　出視之　不見
公　湛軒語先君　吾輩恐有失儀　令長者歸也　遂與共
步月　向嘐嘐宅　至水標橋　時方大雪初霽　月益明　見
公膝橫一長琴　岸巾坐橋上望月　衆皆驚喜　移設酒盤
樂具　陪遊盡歡而罷　先君嘗語此而曰　自嘐嘐公沒
不可復有如此韻事

· 朴宗采(1780~1835) : 자는 士行, 호는 薫田. 박지원의 둘째 아들로 경산 현령을 지냈
　다. 형 宗儀가 백부 喜源의 양자로 들어갔으며, 아들 朴珪壽는 조선조 말엽의 대표적
　인 정승이다. 저서로는 아버지 박지원을 후세에 전하기 위한 『過庭錄』이 있다.
· 金檍 : 중인 출신의 음악가로 당시 양금을 잘 탔다고 한다.
· 嘐嘐齋 : 金用謙의 호이다. 김용겸은 당시 노론 명문가인 안동 김 씨이다. 金昌緝의
　아들이고, 金昌協과 金昌翕의 조카이다. 음직으로 掌樂院正을 거쳐 공조판서를 지냈다.
· 湛軒 : 洪大容의 호이다. 박지원에게 영향을 준 학문적 동지이자 절친한 벗이다. 청나
　라 使行 이후 서양 문물에 대한 관심이 지대하였고, 과학 예술 등 다방면에 능통하였다.
· 笙 : 생황. / · 詩伐木章 : 시경의 벌목장.
· 勃勃 : 흥취가 도도한 모양.
· 先君 : 돌아가신 아버지, 여기서는 박지원을 말함.
· 水標橋 : 청계천에 있던 다리 이름.

3. 蘭亭記 　　王羲之

永和九年歲在癸丑暮春之初　會於會稽山陰之蘭亭

修禊事也　群賢　畢至　少長　咸集　此地　有崇山峻嶺

茂林脩竹　又有淸流激湍　映帶左右　引以爲流觴曲水

列坐其次　雖無絲竹管絃之盛　一觴一詠　亦足以暢敍

幽情　是日也　天朗氣淸　惠風　和暢　仰觀宇宙之大　俯

察品類之盛　所以遊目騁懷　足以極視聽之娛　信可樂

也　夫人之相與俯仰一世　或取諸懷抱　悟言一室之內

或因寄所託　放浪形骸之外　雖趣　舍萬殊　靜躁不同

當其欣於所遇　暫得於己　快然自得　曾不知老之將至

· 王羲之(307~365) : 중국 東晉의 서예가. 자는 逸少, 중국 古今의 첫째가는 書聖으로
존경받고 있다. 해서·행서·초서의 각 서체를 완성함으로써 예술로서의 서예의 지위
를 확립하였다. 당시 아직 성숙하지 못하였던 해·행·초의 3체를 예술적인 서체로
완성하였다. 그의 書風은 典雅하고 힘차며 귀족적인 기품이 높다.
· 永和 : 晉 穆帝의 연호. 永和 9년은 353년.
· 會稽山陰 : 회계군 산음현. 지금의 절강성 소흥.
· 修禊事 : 본래는 음력 삼월 상순 사일에 물가에서 몸을 씻어 부정한 것을 떨쳐버리던
행사. 魏부터는 삼월 삼일로 정했음.
· 激湍 : 急流.
· 映帶左右 : 물빛이 근처에 비치어 둘러 있다.
· 流觴曲水 : 물을 빙 둘러 흐르게 하고 주위에 둘러앉아 술잔을 띄워 돌리도록 하는 일.

及其 所之旣倦 情隨事遷 感慨 係之矣 向之所欣 俛

仰之間 以爲陣迹 尤不能不以之興懷 況脩短 隨化

終期於盡 古人 云死生 亦大矣 豈不痛哉 每攬昔人

興感之由 若合一契 未嘗不臨文嗟悼 不能諭之於懷

固知一死生爲虛誕 齊彭殤爲妄作 後之視今 亦猶今

之視昔 悲夫 故 列紋時人 錄其所述 雖世殊事異 所

以興懷 其致一也 後之覽者 亦將有感於斯文

- 絲竹管絃 : 絲는 현악기, 竹은 관악기.
- 暢叙 : 시원하게 발표하다.
- 惠風 : 온화한 바람.
- 遊目騁懷 : 경치를 두루 보고 胸懷를 풀다.
- 取諸懷抱 : 마음속에 품은 생각을 끌어 냄.
- 晤言 : 서로 마주보고 다정하게 이야기하다.
- 因寄所託 : 마음을 자연에게 寄託하다.
- 趣舍 : 趣는 進, 舍는 捨. 곧 인심의 進退를 말함.
- 情隨事遷 : 마음은 事態의 變化에 따라 달라지다.
- 向 : 먼저 번.
- 俛仰之間 : 俛는 俯와 같다. 머리를 숙였다, 치켰다하는 사이, 즉 순식간.
- 修短隨化 : 인명의 장단은 조화의 이치에 따르다.
- 古人 云死生 亦大矣 : 古人은 莊周를 가리킨 것으로, 이 말은 『莊子』德充符에 보인다.
- 若合一契 : 符節을 맞추는 것 같이 일치하다.
- 嗟悼 : 탄식하고 서러워하다.
- 不能喩之於懷 : 內心에 理解를 가져오지 못하다.
- 一死生 : 죽음과 삶을 同一視함.
- 彭殤 : 彭은 七百歲를 살았다는 彭祖, 殤은 十九歲 미만에 죽은 사람, 즉 長壽와 短命을 의미.
- 其致一也 : 그 뜻은 같다.

선현들의 주장과 논리

1. 蝨犬說 　　李奎報

客有謂予曰　昨晚見一不逞男子以大棒子椎遊犬而殺
者　勢甚可哀　不能無痛心　自是誓不食犬豕之肉矣
予應之曰　昨見有人擁熾爐捫蝨而煿煮　予不能無痛
心　自誓不復捫蝨矣　客憮然曰　蝨微物也　吾見厖然
大物之死　有可哀者故言之　子以此爲對　豈欺我耶
予曰　自黔首至于牛馬猪羊昆蟲螻　其貪生惡死之心
未始不同　豈大者獨惡死　而小則不爾耶　然則犬與蝨
之死一也

· 李奎報(1168~1241) : 고려시대의 문신·문인. 본관은 驪興이고 호는 白雲居士·三酷
　好先生 등이 있다. 명문장가로 그가 지은 詩風은 당대를 풍미했다. 몽골군의 침입을
　陳情表로써 격퇴하기도 하였다. 저서에 『東國李相國集』, 『麴先生傳』 등이 있다.
· 蝨 : 이슬. / ·大棒子 : 큰 몽둥이.
· 犬豕之肉 : 개와 돼지고기.
· 不逞男子 : 不良者.
· 自是 : 이제부터는.
· 熾爐 : 불이 활활 타오르는 화로.

故擧以爲的對　豈故相欺耶　子不信之　盍齕爾之十指
乎　獨拇指痛　而餘則否乎　在一體之中　無大小支節
均有血肉　故其痛則同　況各受氣息者　安有彼之惡死
而此之樂乎　子退焉　冥心靜慮　視蝸角如牛角　齊斥
鷃爲大鵬　然後吾方與之語道矣

- 捫虱 : 이를 잡다.
- 撫然 : 어리둥절한 모양.
- 厖然 : 큰 모양.
- 豈欺我耶 : 어찌하여 나를 속이는(놀리는) 것인가?
- 黔首 : 百姓. 여기서는 사람들을 뜻함.
- 螻蟻 : 땅강아지와 개미.
- 未始不同 : 다르지 않다.
- 不爾 : 不然과 같다.
- 盍 : 何不과 같다. 어찌 ~ 하지 아니하는가?
- 齕 : 물다.
- 拇指 : 엄지손가락.
- 安 : 어찌.
- 蝸角 : 달팽이 뿔.
- 斥鷃 : 못가에 사는 작은 새.

2. 雜說　　韓愈

世有伯樂然後　有千里馬　千里馬常有　而伯樂不常有

故雖有名馬　祇辱於奴隷人之手　駢死於槽櫪之間　不

以千里稱也　馬之千里者　一食　或盡粟一石　食馬者

不知其能千里而食也　是馬雖有千里之能　食不飽力

不足　才美不外見　且欲與常馬等　不可得　安求其能

千里也　策之不以其道　食之不能盡其材　鳴之不能通

其意　執策而臨之　曰天下無良馬　嗚呼　其眞無馬耶

其眞不識馬耶

- 韓愈(768~824) : 당나라시대 문인이며 학자. 자는 退之 또는 昌黎先生이다. 육경에 능
  통하였으며 벼슬은 京兆尹, 吏部侍郎 등을 역임하였으나 불교에 반대하여 좌천되었
  다. 당의 古文운동을 주창하였고, 『昌黎集』이 전한다.
- 伯樂 : 말의 좋고 나쁨을 잘 감별하는 名人으로 전한다. 秦나라 穆公 때의 사람으로
  本名을 孫陽이라 하며 伯樂이란 말을 주관하는 별의 이름을 그대로 따온 것이라 한
  다. 伯樂은 곧 사람을 잘 알아보는 明君 賢宰相에 비유한 말이다.
- 祇 : 只와 같다.
- 駢死 : 賢能 英才가 끝내 뜻을 얻지 못하고 凡人에 묻혀 죽어 감에 비유한 말이다.
- 槽櫪 : 槽는 말 구유(여물통), 櫪은 마판.
- 馬之千里者 : 賢能 英才를 가리킨 말이다.
- 粟一石 : 겉곡식 한 섬. / ・欲與 ~ 等 : ~과 같아지려고 하다.
- 策之 : 말 채찍. 之는 千里馬를 가리킨다.
- 其道 : 千里馬를 다루는 법.
- 鳴之 : 之는 위의 千里馬로 다스려 줄 것과 양식을 충분히 줄 것.

3. 愛蓮說　　周敦頤

水陸草木之花　可愛者甚蕃　晉陶淵明獨愛菊　自李唐來　世人甚愛牡丹　予獨愛蓮之出於泥而不染　濯淸漣而不妖　中通外直　不蔓不枝　香遠益淸　亭亭淨植　可遠觀而不可褻翫焉　予謂菊　花之隱逸者也　牡丹　花之富貴者也　蓮　花之君子者也　噫　菊之愛　陶後　鮮有聞　蓮之愛　同予者何人　牡丹之愛　宜乎衆矣

· 周敦頤(1017~1073) : 중국 송나라의 유학자. 도가사상의 영향을 받고 새로운 유교이론을 창시하였다. 도덕과 윤리를 강조하고, 우주생성의 원리와 인간의 도덕원리는 본래 하나라는 이론을 제시하였다. 저서에는 『太極圖說』, 『通書』가 있다.
· 蕃 : 多와 같다.
· 陶淵明(365~427) : 동진시대의 시인으로 「歸去來辭」의 작자이며 田園詩人으로 이름이 높다.
· 李唐 : 唐나라 高祖의 姓이 李氏이므로 李唐이라 하였다.
· 淤泥 : 진흙. / · 漣 : 잔잔한 물결.
· 中通 : 연꽃의 대 속이 비어 위 아래가 비어 있는 것.
· 外直 : 연꽃 겉 대의 쪽 곧은 모양.
· 不蔓 : 연꽃이 넝쿨지지 않는 것.
· 不枝 : 연꽃이 가지 벌지 않고 한 줄기로 뻗은 것.
· 香遠益淸 : 향기가 멀리 갈수록 더욱 맑다는 것.
· 亭亭 : 우뚝 곧게 서 있는 모양.
· 淨植 : 깨끗하게 심어져 있는 것.
· 褻翫 : 만만하게 다루는 것.
· 陶後 : 도연명 이후.

옛 이야기의 매력

1. 心火繞塔　　殊異傳

亦引新羅殊異傳曰　志鬼　新羅活里驛人也　慕善德王
之端嚴美麗　愁憂涕泣　形容憔悴　王聞之　召見曰　朕
明日幸靈廟寺行香　汝於其寺待朕　志鬼翌日歸靈廟
寺塔下　待駕幸　忽然睡深　王到寺　行香　見志鬼方睡
著　王脫臂環置諸胸　卽還宮　然後乃　御環在胸

· 殊異傳 : 신라말 고려초에 편찬된 설화집으로 현재 전하지 않는다. 다만 수록되었던
　설화 가운데 10편이 『三國遺事』, 『大東韻府群玉』 등 후대의 문헌에 실려 전해진다.
　저자에 대해서는 확실히 밝혀지지 않았으나 신라시대 崔致遠, 고려시대 金陟明 혹은
　朴寅亮이라는 학설이 있다.
· 活里驛 : 오늘날 慶州 지역에 있던 역참의 하나.
· 善德王(미상~647) : 신라 제27대 왕(재위 632~647) 善德女王을 말한다. 내정에서는
　선정을 베풀어 민생을 향상시켰고 구휼사업에 힘썼으며 불법 등 당나라의 문화를 수
　입했다. 첨성대 · 황룡사 구층탑을 건립하는 등의 업적을 남겼다.
· 靈廟寺 : 新羅時代의 큰 절. 慶州에 있었으며 善德女王 때 창건하였다. 여러 번 재해
　를 입었으나 복구되었고, 경덕왕 때에는 판관을 두었다. 良志의 장육불상이 유명하였
　다고 한다.

恨不得待御　悶絶良久　心火出繞其身　志鬼卽變火鬼

於是王命術士　作呪詞曰　志鬼心中火　燒身變火神

流移滄海外　不見不相親　時俗　帖此詞於門壁　以鎭

火災

一『太平通載』＜志鬼條＞

・火鬼 : 불귀신
・術士 : 술책을 잘 꾸미는 사람. (＝術家)
・時俗 : 그 시대의 풍속. 時習, 時風과 비슷한 의미.

2. 崔慶昌과 洪娘

洪娘洪原妓 愛節有姿色 少爲崔孤竹所顧 及孤竹歸
京師 娘追及雙城而別 還到咸關嶺 値日昏雨暗 作
歌一章 寄孤竹 後娘聞孤竹有疾 卽日發行 凡七晝
夜到京 然以邦禁 不得留 孤竹病已 送娘贈詩曰 '相
看脈脈贈幽蘭 此去天涯幾日還 莫唱咸關舊詩曲 至
今雲雨暗靑山' 孤竹沒後 自毁其容 守墓於坡州 壬
辰之亂 負孤竹詩稿 得免兵火 及死葬孤竹墓下

—『晦隱雜說』

· 崔孤竹 : 조선시대의 시인인 崔慶昌(1539~1583)을 가리킨다. 자는 嘉運, 호는 孤竹이
  며 朴淳의 문인이다. 문장과 학문에 뛰어나 李珥·宋翼弼 등과 함께 팔문장으로 불
  리었고 唐詩에도 능하여 三唐詩人으로 알려져 있다.
· 少爲崔孤竹所顧 : '爲A所B' 용법으로 '어려서 최고죽에게 사랑을 받았다.'는 뜻.
· 京師 : 지금의 서울.
· 雙城 : 함경남도 함흥의 옛 이름.
· 咸關嶺 : 홍원과 함흥 사이의 관문.
· 邦禁 : 당시의 법에 나라에 소속된 기생들은 州縣을 떠나 다른 곳에 거주하지 못하도
  록 했다.

3. 兩班傳　　　朴趾源

兩班者　士族之尊稱也　旌善之郡　有一兩班　賢而好
讀書　每郡守新至　必親造其廬而禮之　然家貧　歲食
郡糶　積歲至千石　觀察使巡行郡邑　閱糶糴大怒曰
何物兩班　乃乏軍興　命囚其兩班　郡守意哀其兩班
貧無以爲償　不忍囚之　亦無可奈何　兩班日夜泣　計
不知所出　其妻罵曰　生平子好讀書　無益縣官糶　咄
兩班兩班不直一錢　其里之富人　私相議曰　兩班雖貧
常尊榮我雖富　常卑賤　不敢騎馬　見兩班　則跼縮屛
營　匍匐拜庭　曳鼻膝行　我常如此　其謬辱也　今兩班
貧不能償糶　方大窘　其勢誠不能保其兩班　我且買而
有之　遂踵門而請償其糴　兩班大喜許諾　於是富人立

・朴趾源 : 조선후기 실학자 겸 소설가. 본관은 반남이고 자는 仲美, 호는 燕巖이다.
1780년(정조 4) 朴明源이 청나라에 사행할 때 동행했다. 당시 청나라의 실제적인 생활
과 기술을 체험하면서 조선의 문제점을 인식하였다. 귀국하여 『熱河日記』를 통하여
청나라의 문화를 소개하고 당시 조선의 정치·경제·사회·문화 등 각 방면에 걸쳐
비판과 개혁을 논하였다.
・旌善之郡 : 강원도 정선군. / ・糶糴 : 환곡을 꾸어 주거나 또는 받아들이는 일.
・匍匐 : 땅에 배를 대고 엉금엉금 김.

輸其糴於官 郡守大驚異之 自往勞其兩班 且問償糴
狀 兩班氈笠衣短衣 伏塗謁稱小人不敢仰視 郡守大
驚下扶曰 足下 何自貶辱若是 兩班益恐懼 頓首俯
伏曰 惶悚小人非敢自辱 己自鬻其兩班以償糴 里之
富人乃兩班也 小人復安敢冒其舊號而自尊乎 郡守
歎曰 君子哉富人也 兩班哉富人也 富而不吝義也
急人之難仁也 惡卑而慕尊智也 此眞兩班雖然 私自
交易 而不立券 訟之端也 我與汝約 郡人而證之 立
券而信之 郡守當自署之 於是 郡守歸府 悉召郡中
之士族 及農工商賈悉至于庭 富人坐鄕所之右 兩班
立於公兄之下 乃爲立券曰 乾隆十年九月日 右明文段

- 氈笠 : 죄인을 다루던 병졸이 갖추어 쓰던 갓. 붉은 전으로 만들고, 앞에 주석으로 만
  든 勇자를 붙였음.
- 頓首 : 남에게 공경하는 태도로 머리를 땅에 닿도록 꾸벅거림.
- 俯伏 : 고개를 숙이고 엎드림.
- 鄕所 : 수령을 보좌하고 풍속을 바로 잡고 향리를 감찰하는 지방자치 기관.
- 公兄 : 조선시대 胥吏의 별칭.
- 乾隆 : 청나라 고종의 연호. 건륭 10년은 1745년에 해당함.

屈賣兩班 爲償官穀 其直千斛 維厥兩班 名謂多端

讀書曰士 從政爲大夫 有德爲君子 武階列西 文秩

敍東 是爲兩班 任爾所從 絶棄鄙事 希古尙志 五更

常起 點硫燃脂 目視鼻端 會踵支尻東萊博議 誦如

氷瓢 忍餓耐寒 口不說貧 叩齒彈腦 細嗽嚥津 袖刷

毛冠 拂塵生波 盥無擦拳 漱口無過 長聲喚婢 緩步

曳履 古文眞寶 唐詩品彙 鈔寫如荏 一行百字 手毋

執錢 不問米價 署毋跣襪 飯毋徒髻 食毋先羹 歠毋

流聲 下箸毋舂 毋餌生葱 飮醪毋嘬鬚 吸煙毋輔窩

忿毋搏妻 怒毋蹋器 毋拳毆兒女 毋罵死奴僕 叱牛

馬 毋辱鬻主 病毋招巫 祭不齊僧 爐毋煮手 語不齒

唾 毋屠牛 毋賭錢 凡此百行 有違兩班 持此文記

· 東萊博議 : 呂祖謙이 『春秋左氏傳』 중에서 중요한 항목을 뽑아 그에 대한 득실을 평
　론한 책.
· 古文眞寶 : 黃堅이 전국시대부터 宋代까지의 시문을 엮은 책.
· 唐詩品彙 : 高棅이 당나라 시인의 작품을 體別과 作家別로 분류하고 품평한 책.

卞正于官 城主旌善郡守押·座首別監證署 於是 通

引搦印錯落 聲中嚴皷 斗縱參橫 戶長讀旣畢 富人

悵然久之曰 兩班只此而已耶 吾聞兩班如神仙 審如

是太乾沒 願改爲可利 於是 乃更作劵曰 維天生民

其民四維 四民之中 最貴者士 稱以兩班 利莫大矣

不耕不商 粗涉文史 大決文科 小成進士 文科紅牌

不過二尺 百物具備 維錢之彙 進士三十 乃筮初仕

猶爲名蔭 善事雄南 耳白傘風 腹皤鈴諾 室珥冶妓

庭穀鳴鶴 窮士居鄉猶能武斷 先耕隣牛 借耘里氓

孰敢慢我 灰灌汝鼻 暈髻汰鬢 無敢怨咨 富人中其

劵而吐舌曰 已之已之 孟浪哉 將使我爲盜耶 掉頭

而去 終身不復言兩班之事

· 座首 : 조선시대 지방 鄉廳의 우두머리.
· 參 : 參星을 의미. 二十八宿 중 스물 한 번째 별.
· 戶長 : 향리의 으뜸 구실을 하는 아전.
· 紅牌 : 문과의 會試에 급제한 사람에게 내어 주는 증서. 붉은 바탕의 종이에 성적 등
  급 및 성명이 적혀 있음.
· 蔭 : 蔭官, 蔭職을 말함. 과거에 의하지 않고 조상의 공으로 얻는 벼슬.

秋夜雨中　　崔致遠

秋風唯苦吟

世路少知音

窓外三更雨

燈前萬里心

· 崔致遠(857~미상) : 신라시대 문인. 자는 孤雲·海雲. 869년(경문왕 9) 13세로 당나라
　에 유학하고 874년 과거에 급제하였다. 879년(헌강왕 5) 黃巢의 난 때는 高騈의 從事
　官으로서 <討黃巢檄文>을 초하여 문장가로서 이름을 떨쳤다. 귀국 후 난세를 비관하
　여 각지를 유랑하다가 伽倻山 海印寺에서 여생을 마쳤다.
· 知音 : 소리를 알아듣는다는 뜻으로 자기의 속마음을 알아주는 친구를 이르는 말.
· 三更 : 하룻밤을 五更으로 나눈 셋째 부분. 밤 열한 시에서 새벽 한 시 사이이다.

大同江　　鄭知常

雨歇長堤草色多

送君南浦動悲歌

大同江水何時盡

別淚年年添綠波

・鄭知常(미상~1133) : 고려 중기의 문신. 초명은 之元. 호는 南湖. 서경출신으로 서경 천도를 주장해 金富軾을 중심으로 한 유교적·사대적인 성향이 강하던 개경 세력과 대립하였다. 작품으로는 『동문선』에 <新雪>·<鄕宴致語>가 전하며 『東京雜記』, 『鄭司諫集』·『東國輿地勝覽』 등에도 詩 몇 수가 실려 있다.
・草色多 : 풀빛이 짙다. '풀빛이 선명함'의 뜻으로 여기서 '多'는 '짙다, 푸르다, 선명하다'로 풀이됨.
・年年 : 해마다.
・添綠波 : 푸른 물결에 보태다 곧, 이별의 슬픔이 끝이 없음. 이 시어는 '첨작파'라고 쓴 것을 이제현이 고친 것이라고도 한다.

絕命詩　　成三問

擊鼓催人命

回頭日欲斜

黃泉無客店

今夜宿誰家

· 成三問(1418~1456) : 조선 전기의 문신·학자. 본관은 昌寧이고 호는 梅竹軒이다. 세
종 때 한글 창제를 위해 음운 연구를 하였다. 수양대군이 왕위를 찬탈하자 목숨을 바
쳐 항거하였다. 부친 성승을 비롯한 사육신 등과 함께 모진 고문에도 굴하지 않고 단
종에 대한 충절을 지켰다.
· 催 : 재촉할 최.
· 黃泉 : 저승.

大丈夫　　南怡

白頭山石磨刀盡

豆滿江水飮馬無

男兒二十未平國

後世誰稱大丈夫

· 南怡(1441~1468) : 조선 전기의 무신. 본관은 宜寧, 시호는 忠武. 태종의 외증손이다. 이시애의 난 때 우대장으로 이를 토벌했고 서북변의 건주위를 정벌했다. 예종이 즉위한 해인 1468년 柳子光이 역모를 꾀한다고 무고하여 체포된 뒤 康純 등과 車裂刑에 처해졌다.
· 未平國 : 유자광이 이 글귀를 '未得國(나라를 얻지 못함)'으로 조작한 이야기가 잘 알려져 있다.

無語別　　林悌

十五越溪女

羞人無語別

歸來掩重門

泣向梨花月

· 林悌(1549~1587) : 본관 나주. 자는 子順. 호는 白湖·謙齋. 成運의 문인. 당대 명문장
　가로 명성을 떨쳤던 조선중기 시인 겸 문신. 황진이 무덤을 지나며 읊은 시조와 기생
　寒雨와 화답한 시조 <寒雨歌> 등이 유명하다.
· 無語別 : 말없는 이별.
· 越溪女 : 중국 越나라의 여자가 예쁘다는 것에서 유래하여 아름다운 여인이라는 뜻.
· 羞人 : 다른 사람에게 부끄럽다는 의미.

詠半月　　黃眞伊

誰斷崑山玉

裁成織女梳

牽牛一去後

愁擲碧空虛

- 黃眞伊(생몰미상) : 조선시대 名妓. 일명 眞娘, 妓名은 明月이다. 開城 출생으로 중종 때 進士의 庶女로 태어났다. 詩·書·音律에 뛰어났으며, 출중한 용모로 더욱 유명하였다. '동지달 기나긴 밤을 한허리를 둘에 내어'는 그의 가장 대표적 시조이다. 대표작으로 <만월대 회고시>, <박연폭포> 등이 있다.
- 誰斷 : 누가 자르리.
- 裁成 : 잘라내고 마름질해서 만들다.

浴川 曹植

全身四十年前累

千斛淸淵洗盡休

塵土倘能生五內

直今刳腹付歸流

· 曹植(1501~1572): 조선 중기 학자. 본관은 昌寧이고 호는 南冥. 철저한 절제로 일관하여 불의와 타협하지 않았으며, 당시의 사회현실과 정치적 모순에 대해서는 적극적인 비판의 자세를 견지하였다. 단계적이고 실천적인 학문방법을 주장하였으며 제자들에게도 그대로 이어져 경상우도의 특징적인 학풍을 이루었다. 주요 저서로는 『南冥集』이 있다.
· 塵土 : 티끌과 흙이라는 뜻으로 여기서는 더럽고 사악한 생각.
· 五內 : 五臟 / 肝臟, 心臟, 脾臟, 肺臟, 腎臟의 다섯 가지 장기.

花石亭　　李珥

林亭秋已晚	騷客意無窮
遠水連天碧	霜楓向日紅
山吐孤輪月	江含萬里風
塞鴻何處去	聲斷暮雲中

· 李珥(1536~1584): 조선 중기의 학자·정치가. 본관은 德水이고 호는 栗谷·石潭이다.
  어머니는 사임당 신 씨이다. 호조·이조·형조·병조 판서 등을 지냈다. 선조에게 시
  무육조를 바치고, 십만양병설 등 개혁안을 주장했다. 동인·서인 간의 갈등 해소에 노
  력했다. 저서는 『聖學輯要』, 『擊蒙要訣』 등이 있다.
· 騷客 : 시인이나 문인을 가리킴.
· 遠水 : 멀리 뻗쳐있는 강.
· 向日紅 : 햇빛을 향해 더욱 붉다.
· 輪月 : 둥근 달.
· 塞鴻 : 쓸쓸한 기러기, 또는 북쪽에서 날아온 기러기.

二十樹下　　金炳淵

二十樹下三十客

四十家中五十食

人間豈有七十事

不如歸家三十食

· 金炳淵(1807~1863) : 김삿갓이라 불리는 방랑시인. 본관은 安東이고 호는 蘭皐이다.
  1811년(순조 11) 홍경래의 난 때 宣川府使로 있던 조부가 홍경래에게 항복한 죄로 廢
  族되었다. 20세 무렵부터 방랑생활을 시작하였다. 큰 삿갓을 쓰고 얼굴을 가리고 전국
  을 방랑하면서 도처에서 즉흥시를 남겼다. 작품으로 『金笠詩集』이 있다.
· 三十 : 설흔 → 서러운, 기구 / 설은(열매 따위가 덕 일은), 결구.
· 四十 : 마흔 → 망한 / 망할.
· 五十 : 쉰 → 쉬다(음식이 상하여 맛이 시큼하게 변하다).
· 七十 : 일흔 → 이런.
· 豈 : 어찌.
· 不如 : ~와 같지 못하다.

月下獨酌　　李白

花間一壺酒　　獨酌無相親

舉杯邀明月　　對影成三人

月既不解飲　　影徒隨我身

暫伴月將影　　行樂須及春

我歌月徘徊　　我舞影凌亂

醒時同交歡　　醉後各分散

永結無情遊　　相期邈雲漢

天若不愛酒　　酒星不在天

地若不愛酒　　地應無酒泉

天地既愛酒　　愛酒不愧天

己聞淸比聖　　復道濁如賢

賢聖既已飲　　何必求神仙

· 李白(701~762): 중국 盛唐期의 시인. 자는 太白이고 호는 靑蓮居士이다. 盛唐의 기상
을 대표하는 시인으로 萬古의 우수를 언제나 마음속에 품었다고 평가받는다. 시문집
은 역대 왕조에서 지속적으로 편찬되었으며 淸나라 王琦의 『李太白全集』이 전한다.

春望　　杜甫

國破山河在	城春草木深
感時花濺淚	恨別鳥驚心
烽火連三月	家書抵萬金
白頭搔更短	渾欲不勝簪

· 杜甫(712~770): 盛唐時代의 詩人으로 중국 최고의 시인으로서 詩聖으로 평가받는다. 李白과 병칭하여 李杜라고 일컫는다. 널리 인간의 심리, 자연의 사실 가운데 그 때까지 발견하지 못했던 새로운 감동을 찾아내어 시를 지었다. 주요 작품에는 <北征>, <秋興> 등이 있다.
· 城 : 長安을 가리킴.
· 花淺 : 꽃을 보고 눈물을 뿌림.
· 鳥驚心 : 새소리에 마음이 설레임.
· 家書 : 집에서 보내는 편지.
· 抵 : 해당하다. 값이 나간다.
· 渾 : 온통, 모두.

楓橋夜泊　　　張繼

月落烏啼霜滿天

江楓漁火對愁眠

姑蘇城外寒山寺

夜半鍾聲到客船

· 張繼(생몰미상) : 중국 唐나라 때의 시인. 자는 懿孫. 당 고종 때의 호남성 襄州사람
  이다. 詩風은 깨끗하고 맑으며 도사의 기풍이 있다고 평가받는다.
· 楓橋 : 중국 蘇州의 교외에 있는 다리로 남북교통의 요로이다.
· 江楓 : 강변의 단풍.
· 漁火 : 어선에서 물고기를 잡기 위해 켜놓은 불.
· 姑蘇 : 소주에 있는 산으로 성이 있다.
· 客船 : 나그네가 타고 있는 배.

短歌行　　曹操

對酒當歌　人生幾何　譬如朝露　去日苦多

慨當以慷　憂思難忘　何以解憂　唯有杜康

靑靑子衿　悠悠我心　但爲君故　沈吟至今

呦呦鹿鳴　食野之苹　我有嘉賓　鼓瑟吹笙

明明如月　何時可掇　憂從中來　不可斷絶

越陌度阡　枉用相存　契闊談讌　心念舊恩

月明星稀　烏雀南飛　繞樹三匝　何枝可依

山不厭高　海不厭深　周公吐哺　天下歸心

· 曹操(155~220) : 자는 孟德, 아명은 阿瞞·吉利이다. 沛國 譙縣(지금의 安徽省 亳州市) 사람으로 후한 獻帝(189~220) 때에 丞相을 지냈으며, 魏王으로 봉해졌다. 아들인 曹丕가 위나라 황제의 지위에 오른 뒤에는 武皇帝로 추존되었다.
· 杜康 : 중국역사에서 가장 먼저 술을 만든 사람으로, 여기서는 '술'을 의미.
· 周公吐哺 : 주공이 인재를 잃을 것에 대한 염려로 한끼 식사에 음식물을 세 번이나 뱉었다는 고사.

부록
· · ·
한문 퍼즐

한자 퍼즐 ①

【가로 열쇠】

1. 조선 세종 24(1442)년에 세계 최초로 만들어진 우량계.

3. 고려 때 이곡이 지은 가전체 작품. 대를 의인화하여 정숙한 부인으로 그렸는데, 『동문선』에 실려 전하며 신흥 사대부의 청신한 이념을 잘 드러내고 있다.

4. 없어진 나라의 남아 있는 백성.

7. 자기 스스로의 언행의 앞뒤가 서로 충돌하여 일치하지 않아 모순됨.

9. 인간과 세계, 인생의 의의와 현대 생활과의 불합리한 관계를, 프랑스 작가 카뮈가 그의 실존철학에서 가리켜 쓴 말.

11. 사람을 선택하는 네 가지 조건. 신수와 말씨와 문필과 판단력.
13. 산에 피는 나리과의 꽃. 김소월의 시 제목이기도 하다. '산에는 꽃피네/ 꽃이 피네/ 갈 봄 여름 없이/ 꽃이 피네//…….'
14. 묵화에서 귀하게 여겨 오는 네 가지 소재. 곧 매화, 난초, 국화, 대나무.
15. '열흘 붉은 꽃'이 없다는 뜻으로, 한 번 성한 것이 얼마 못 가서 반드시 쇠하여짐을 이르는 말이다.
17. 오래 가지고 있는 병.

【세로 열쇠】

2. 비가 온 뒤에 여기저기 솟는 죽순이라는 뜻으로, 어떠한 일이 한 때에 많이 일어남을 비유하는 말.
4. 생물의 유전 형질을 나타내며, 어버이의 성질을 자손에게 유전하는 성분.
6. 다른 나라로 옮아 사는 일이나, 사람을 뜻하는 말.
7. 스스로 힘써 가다듬어 쉬지 않는다는 의미.
8. 어떤 일을 주의하여 봄. 또는 어떤 문제를 해결하기 위한 실마리를 잡음.
10. 막다른 데 이르러, 어찌할 수 없게 된 지경. 불교에서 이판승과 사판승 간의 싸움에서 유래한 말.
12. 말 가운데 뼈. 곧 말이 겉으로는 순한 듯하나 단단한 속뜻이 들어 있다는 말.
14. 친한 사람이라곤 도무지 없는 처지. 의지할 데가 전혀 없는 사람의 경우.
16. 뜨거운 햇볕을 오래 쬐어서 일어나는 병. 두통, 어지럼증이 일어나고 열이 오르며 기절한다.

한자 퍼즐 ②

		2					15		17
1	3					16			
4		6		11	10				
		7							
	8				18		19		
5		9	12						
	14								
					20				
	13								

【가로 열쇠】

1. 조선 고종 8년(1871)에 미국 군함 세 척이 강화도 해협에 침입하여 온 사건. 조선의 수병에 의하여 격퇴되었다.

4. 말을 타고 달리면서 산천을 구경한다는 뜻으로, 천천히 살펴볼 여가가 없이 '바쁘게 대강대강 보고 지남'의 비유.

5. 채찍질. 많은 지도와 ~을 바랍니다.

7. 천문의 하나로 궁궐을 비유적으로 이르는 말.

8. 물길을 내고 수리 시설을 잘하여 홍수나 가뭄의 피해를 막는 일.

9. 흐리지 않은 거울과 움직이지 않는 물이란 뜻으로 잡념과 가식, 허욕이 없이 아주 맑고 깨끗한 마음을 의미한다.

11. 부처가 세상에 태어나 일곱 걸음을 걷고 나서 하였다는 말로 소아를 벗어나 광대 무변한 대아에 도달하자는 것이다. 자기만 잘난 체 하는 태도를 뜻하기도 한다.

13. 오랜 동안 골똘히 바람. <한양오백년가>에 보면, '평생을 잊지 말자, ~ 굳은 마음'이란 대목이 보인다.

16. 수가 적어 많은 수효를 대적하지 못함.

18. 시위를 당길 뿐 놓지 않는다는 뜻으로 남을 가르치되 그 법만 가르치고, 스스로 터득하게 함.

20. 남의 재물을 마구 빼앗으며 행패를 부리고 돌아다니는 무리.

【세로 열쇠】

2. 동쪽 아시아 및 그 부근을 막연하게 서양에 상대하여 일컫는 말.

3. 바둑에서 아직 완전하게 살지 못한 말을 가리킨다.

4. 달리는 말에 채찍질한다는 말.

6. 산과 물의 경치가 맑고 아름다움.

10. 제 논에 물대기.

12. 거울에 비치는 꽃과 물에 비치는 달은 눈에는 보이나 손으로 잡을 수 없다는 데서, '말로써 이루 나타낼 수 없는 시문의 묘미'를 비유하는 말.

14. 나라를 위하여 목숨을 바친 장병과 순국선열들의 충성을 기리는 날. 해마다 6월 6일로 정하였다.

15. 늙고 아내 없는 사람, 젊고 남편 없는 사람, 어리고 어버이 없는 사람, 늙고 자식 없는 사람들로 외롭고 의지할 데 없는 사람을 일컫는 말.

17. 좋은 맞수. 또는 알맞은 상대.

19. 어느 편으로든 치우치지 아니함. 곧 어떤 편당이나 주의에 기울어지지 아니하고 공평하게 중정의 태도를 지킴.

한자 퍼즐 ③

【가로 열쇠】

1. 일정한 목적, 설비, 제도 및 법규에 의거하여, 교사가 계속적으로 학생에게 교육을 실시하는 기관.

3. 언어를 문자로 적을 때 일정한 원칙에 맞도록 쓰는 법. 유의어로는 맞춤법, 정자법이 있음.

5. 말의 귀에 동풍이 불어도 말은 아랑곳하지 않는다는 뜻으로, '남의 말에 귀 기울이지 않고 그냥 지나쳐 흘려 버림'을 이르는 말.

7. 명절날이나 조상의 생일 또는 매달 음력 초하루와 보름날 따위를 맞아 낮에 지내는 약식 제사.

8. 자기 나라에서 생산함. 또는 그 물품.

10. 사람이 남과 처지를 바꾸어 생각하다 또는 남의 입장에서 생각한다는 의미.

11. 조선 시대, 1894년(고종 31)에 동학도가 주동이 되어 일으킨 혁명. 고부 군수 조병갑의 횡포와 착취에 농민들이 항거한 데에서 발단하여, 부정 부패 척결과 斥倭攘夷를 주장하였다.

14. 五倫의 하나로 어른과 어린이 또는 윗사람과 아랫사람 사이에는 지켜야 할 차례와 질서가 있음을 뜻한다.

【세로 열쇠】

2. 책을 내기 위하여 글자나 부호, 배열, 색채 따위의 잘못된 곳을 바로잡아 고침.

4. 책을 팔거나 사는 가게.

6. 동쪽에 있는, 예의를 잘 지키는 나라라는 뜻으로, 예전에 중국에서 우리나라를 이르던 말.

9. 토지의 소유 형태를 새롭게 고치는 일.

12. 거의 죽게 되어 곧 숨이 끊어질 지경에 처함.

13. 가르치고 배우면서 함께 성장한다는 말이다. 스승은 학생에게 가르침으로써, 그리고 제자는 배움으로써 진보한다는 의미이다.

15. 계란에 뼈가 있다는 뜻으로, 운이 나쁜 사람은 모처럼의 좋은 기회가 와도 일이 뜻대로 되지 않음을 비유하는 말이다. 조선 세종 때 영의정을 지낸 황희와 관련된 일화에서 유래하였다.

한자 퍼즐 ④

【가로 열쇠】

1. 묵화에서 귀하게 여겨 오는 네 가지 소재. 매화, 난초, 국화, 대나무.

2. 아미타불에 돌아가 의지한다는 뜻으로 염불하는 소리.

4. 방법과 꾀, '이웃을 도울 ~이 없는가?'

5. 양의 창자처럼 험하고 꼬불꼬불한 산길을 이르는 한자성어.

6. 맹자가 학업을 중단하고 돌아왔을 때 맹모가 짜던 베틀을 잘라서 학업을 계속할 것을 깨우쳤다는 데서 유래한 고사성어.

7. 날아오른다는 의미.
9. 바람 앞의 등잔불이라는 의미로 매우 위태로운 상황을 의미함.
11. 仁者는 산을 좋아하고 智者는 물을 좋아함.
13. 나라와 나라 사이에 교제를 맺는 일. '~를 맺다.'
14. 집안일.
16. 원래 출발한 곳으로 다시 돌아옴을 이르는 말.

【세로 열쇠】

1. 친한 사람이라곤 도무지 없는 처지, 의지할 데가 전혀 없는 사람의 경우.
3. 잘못된 일을 근본적으로 고치지 않고 임시방편으로 처리하는 것을 말함.
6. 창자가 끊어질 정도로 애끓는 심정.
7. 하늘을 날며 사람과 화물을 운반하는 기계.
8. 회오리 바람을 일컫는 한자어. 갑자기 생기는 저기압으로 주위의 공기가 한꺼번에 몰려 나사꼴로 빙빙 돌며 올라가는 바람.
10. 신을 받들어 제사할 때 밝히는 성스러운 불로 운동경기 때마다 채화하는 불을 의미.
12. 제갈량과 유비의 고사에서 유래. 물고기와 물의 관계라는 말로 매우 친한 사귐을 의미.
13. 행실을 닦고 집안을 바로잡는다는 의미. '□□□□治國平天下'
15. 일은 반드시 바른 데로 돌아간다는 사자성어.

한자 퍼즐 ⑤

				1					
			2				6	7	
3	4								
					8				
5									
10		9					12		14
11						13			

【가로 열쇠】

1. 현실적이 아니거나 실현될 가망이 없는 것을 마음대로 상상하거나 또는 그런 생각을 늘 하는 사람.

2. 연극에서 배우가 마음속의 생각을 관객에게 알리려고 상대역 없이 혼자 말하는 행위를 나타내는 말. 또는 혼자서 중얼거림.

3. 지난날의 잘못을 뉘우치고 고쳐 착하게 됨.

5. 손에서 책을 놓지 않다. 항상 손에 책을 들고 부지런히 공부하는 것을 이르는 말이다.

6. 인격, 사상, 능력 따위가 발전하도록 가르쳐 기름. 또는 동식물 개체나 그 조직의 일부, 미생물 따위를 인공적인 조건 아래에서 기르거나 증식시킴.

8. 나라가 태평하고 풍습이 아름다워 백성이 길에 떨어진 물건을 주워 가지지 아니 함. 『사기』 「상군열전」에 나오는 말임.

9. 남의 비위에 맞도록 꾸민 달콤한 말과 이로운 조건을 내세워 꾀는 말

11. 좋은 약은 입에 쓰다는 뜻으로, 좋은 충고는 비록 귀에 거슬리나 자신에게 이롭다는 말. 『공자가어』에 나온다.

13. 상갓집의 개라는 뜻으로, 여위고 기운 없이 초라한 모습으로 이곳저곳 기웃거리는 사람을 놀림조로 이르는 말.

【세로 열쇠】

1. 아무것도 없이 비어 있음. 또는 책이나 공책 따위에서 글씨나 그림이 없는 빈 곳.

2. 『맹자』에 나오는 말로, 자기 혼자만이 옳다고 생각하고 행동함.

4. 『논어』에 나오는 말로, 지나친 것은 미치지 못한 것과 같다는 말임.

7. 호랑이를 길러 근심을 남긴다는 말임. 남의 사정을 봐 주었다가 나중에 도리어 화를 입게 된다는 것을 비유하는 말이다.

8. 길에서 듣고 길에서 말함. 무슨 말을 들으면 그것을 깊이 생각지 않고 다시 옮기는 경박한 태도를 이르는 말이다. 혹은 아무런 근거도 없는 허황된 소문을 이르기도 한다.

9. 달면 삼키고 쓰면 뱉는다는 뜻으로, 옳고 그름에 관계없이 자기 비위에 맞으면 좋아하고 그렇지 않으면 싫어함.

10. 예로부터 전해 오는 아름답고 좋은 풍속.

12. 특정 분야의 일을 줄곧 해 와서 그에 관해 풍부하고 깊이 있는 지식이나 경험을 가지고 있는 사람.

14. 토끼가 죽으면 토끼를 잡던 사냥개도 필요 없게 되어 주인이 삶아 먹는다는 뜻으로, 필요할 때는 쓰고 필요 없을 때는 버리는 경우를 이르는 말.

한자 퍼즐 ⑥

1	2			▦	▦	▦	11			12
▦				6	7	▦	▦	▦	▦	
▦	3	4	▦	▦	8		9	▦	▦	▦
▦			▦	▦	▦	▦		▦	▦	▦
▦		5	▦	▦	▦	▦	▦	▦	▦	▦
▦			▦	▦	▦	10		▦	▦	▦
▦	13		▦	14	▦	▦	▦	▦	▦	▦
▦			▦		▦	▦	▦	▦	▦	▦
▦			15		▦	▦	▦	▦	▦	▦

【가로 열쇠】

1. 낫 놓고 'ㄱ'자로 모른다.

3. 흙 속에서 식물이 썩으면서 유기물의 혼합물을 만드는 일이나 그 물질.

5. 날마다 그날그날 겪은 일이나 생각, 느낌 따위를 적는 개인의 기록.

6. 일정한 목적, 교과과정, 설비, 제도 및 법규에 의하여 교사가 계속적으로 학생에게 교육을 실시하는 기관.

8. 오륜(五倫)의 하나. 어른과 어린이 사이에는 순서와 질서가 있음.

10. 생물체에 이상이 생겨 정상적 활동이 이루어지지 않아 괴로움을 느끼게 되는 현상. 병(病)의 높임말.

11. 착한 일을 권장하고 악한 일을 징계함.

13. 서로서로 도움.

15. 글로 써서 책을 지어 낸 사람.

【세로 열쇠】

2. 바르지 않고 썩을 대로 썩은 모습. 부패로 줄여 말하기도 함.

4. 나무를 많이 심고 아껴 가꾸도록 권장하기 위해 국가에서 정한 날. 4월 5일.

7. 대학이나 학원을 제외한 각급 학교의 으뜸 지위. 또는 그 직위에 있는 사람.

9. 미리 준비가 되어 있으면 걱정할 것이 없음.

12. 악한 무리.

14. 도와주는 사람.

한자 퍼즐 ⑦

1	2				5			8	
				4		6			
	3					7			
			13			9	10		12
14	15				19				
							11		
			17	18					
16									

【가로 열쇠】

1. 多作, 多讀, 多商量. 글을 짓는 방법에 필요한 세 가지.

3. 친구에는 세 가지 이로운 벗이 있다.

4. 베토벤의 '운명 □□□'

7. 공자가 배움의 단계를 구분한 말로 배워서 아는 것을 의미.

8. 지열로 물이 데워져 하늘로 솟아오르는 지하수.

9. 세상의 풍파.

11. 온갖 물건의 가지가지 생김새, 또는 세상에 있는 온갖 물건.

13. 믿음을 저버리는 일.

14. 풀을 묶어 은혜에 보답한다는 데서 유래한 고사성어.
16. 계수나무의 얇은 껍질로 수정과를 만들 때 사용하기도 함.
17. 서울 정동에 있는 궁궐로 조선시대 때 경운궁을 이름.

【세로 열쇠】

2. 한신과 유방의 대화에서 유래한 말로 많으면 많을수록 좋다는 의미.
4. 세속 오계 가운데 하나로 믿음으로 친구를 사귐.
5. 물체에서 나는 소리와 그 울림.
6. 옳지 않은 학문으로 세상사람에게 아첨한다는 고사성어.
8. 옛것을 익혀 새로운 것을 안다는 의미의 고사성어.
10. 물결의 기복이 심한 것처럼 사건의 진행에 변화가 심한 것을 말함.
12 같은 병을 앓는 사람끼리 서로 가엽게 여긴다는 고사성어.
13. 남의 은덕을 잊고 져버린다는 사자성어.
15. 먹을 것이 없어 풀뿌리와 나무 껍질로 목숨을 연명함.
18. 염습할 때에 시신에게 입히는 옷.
19. 진시황의 궁전으로 매우 크고 화려한 집의 비유.

한자 퍼즐 ⑧

1						14			15
2			4						
		3			5				
				6					
		8						13	
	7			10					
						12			
				11					

【가로 열쇠】

2. 어떤 분야를 체계적으로 배워서 익힘. 또는 그런 지식.

3. 오륜(五倫)의 하나. 남편과 아내 사이에는 분별이 있어야 함.

6. 처지를 바꾸어 생각하여 봄.

7. 다른 산의 나쁜 돌이라도 자신의 산의 옥돌을 가는 데에 쓸 수 있다는 뜻으로, 본이 되지 않은 남의 말이나 행동도 자신의 지식과 인격을 수양하는데 도움이 될 수 있음을 비유적으로 이르는 말.

11. 우리나라 고유의 정형시. 초장, 중장, 종장의 3장 6구 4음보격의 기본 형태를 가짐.

12. 눈을 비비고 상대편을 본다는 뜻으로, 남의 학식이나 재주가 놀랄 만큼 부쩍 늚을 이르는 말.

14. 바른 길에서 벗어난 학문으로 세상 사람에게 아첨함.

【세로 열쇠】

1. 가르치고 배우면서 함께 성장함.

4. 갓 결혼하였거나 결혼하는 여자.

5. 지구 밖에 세계. 속된 세상과는 아주 다른 세상.

8. 높고 큰 산. "00이 높다 하되 하늘 아래 뫼이로다."

10. 돌을 이용하여 칼, 도끼 따위의 기구를 만들어 쓰던 시대로 인류 문화 발달의 첫 단계에 해당함.

13. 일상생활에 필요한 온갖 물건을 파는 장사. 또는 그런 장수.

15. 집현전 학자들과 함께 훈민정음을 창제한 조선의 네 번째 임금.

한자 퍼즐 ⑨

【가로 열쇠】

1. 지구상의 생물들이 살아가면서 환경에 적응하고 발전해 왔다는 찰스 다윈의 주장.

2. 공이 있는 자에게는 반드시 상을 주고, 죄가 있는 사람에게는 반드시 벌을 준다는 뜻으로, 상과 벌을 공정하고 엄중하게 하는 일을 이르는 말.

3. 한바탕 몰아치는 사나운 바람.

4. 유럽, 아시아, 아프리카 세 대륙에 둘러싸인 바다.

5. 주체성이 없이 세력이 강한 나라나 사람을 받들어 섬기는 태도.

6. 산수의 자연을 즐기고 좋아함.

7. 따위가 여러 갈래로 갈라지기 시작하는 곳. 또는 사물의 속성 따위가 바뀌어 갈라지는 지점이나 시기.

8. 그림의 떡.

【세로 열쇠】

1. 공적의 크고 작음 따위를 논의하여 그에 알맞은 賞을 줌.

2. 한 사람을 벌주어 백 사람을 경계한다는 뜻으로, 다른 사람들에게 경각 심을 불러일으키기 위하여 본보기로 한 사람에게 엄한 처벌을 하는 일 을 이르는 말.

3. 강이나 바다를 등지고 치는 진. 중국 한나라의 한신이 강을 등지고 진 을 쳐서 병사들이 물러서지 못하고 힘을 다하여 싸우도록 하여 조나라 의 군사를 물리쳤다는 데서 유래한다.

4. 평온한 자리에서 일어나는 풍파라는 뜻으로, 뜻밖에 분쟁이 일어남을 비유적으로 이르는 말.

5. 막다른 데 이르러 어찌할 수 없게 된 지경.

6. 임자 없는 빈산.

7. 어떤 사실이나 사태가 발전하는 전환점 또는 어떤 일이 한 단계에서 전혀 다른 단계로 넘어가는 전환점을 비유적으로 이르는 말.

8. 무슨 일을 하는 데에 가장 중요한 부분을 완성함을 비유적으로 이르는 말. 용을 그리고 난 후에 마지막으로 눈동자를 그려 넣었더니 그 용이 실제 용이 되어 홀연히 구름을 타고 하늘로 날아 올라갔다는 고사에서 유래한다.

한자 퍼즐 ⑩

1						2			
1			3			3			5
			2		9				
							4		
	5	6							
7					6	8			
7									
			8						

【가로 열쇠】

1. 등잔 밑이 어둡다는 뜻으로 가까이 있는 것이 도리어 알아내기 어려움을 이르는 말.

2. 맑은 거울과 고요한 물. 또는 잡념과 가식과 헛된 욕심 없이 맑고 깨끗한 마음.

3. 아무 근거 없이 널리 퍼진 소문.

4. 아직 완성이 되지 않음.

5. 하늘이 맑게 갠 대낮. 또는 맑은 하늘에 뜬 해.

6. 하늘이 높고 말이 살찐다는 뜻으로, 하늘이 맑아 높푸르게 보이고 온 갖 곡식이 익는 가을철을 이르는 말.

7. 인생이 덧없음.

8. 학교나 회사 같은 곳에서, 학생이나 사원의 건강이나 위생 따위에 관한 일을 맡아보는 곳.

【세로 열쇠】

1. 바람 앞의 등불이라는 뜻으로, 사물이 매우 위태로운 처지에 놓여 있음을 비유적으로 이르는 말.

2. 푸른 산에 흐르는 맑은 물이라는 뜻으로, 막힘없이 썩 잘하는 말을 비유적으로 이르는 말.

3. 의심할 여지가 없이 아주 뚜렷함.

4. 바둑에서 아직 완전히 살지 못한 말.

5. 말이 조금도 사리에 맞지 아니함.

6. 천사의 옷은 꿰맨 흔적이 없다는 뜻으로, 일부러 꾸민 데 없이 自然스럽고 아름다우면서 完全함을 이르는 말.

7. 세 사람이 짜면 거리에 범이 나왔다는 거짓말도 꾸밀 수 있다는 뜻으로, 근거 없는 말이라도 여러 사람이 말하면 곧이 듣게 됨을 이르는 말.

8. 매우 크고 좋은 집.

이찬욱
중앙대학교 국어국문학과 졸업
중앙대학교 문학박사
현재 중앙대학교 국어국문학과 교수

정숙인
중앙대학교 국어국문학과 졸업
중앙대학교 문학박사
민족문화추진회부설 국역연수원 연수부 졸업
민족문화추진회부설 국역연수원 일반연구부 졸업
현재 중앙대학교 강사

이명현
중앙대학교 국어국문학과 졸업
중앙대학교 문학박사
현재 중앙대학교 국어국문학과 교수

김성문
중앙대학교 국어국문학과 졸업
중앙대학교 문학박사
현재 중앙대학교 강사

심호남
중앙대학교 국어국문학과 졸업
중앙대학교 문학박사
한국고전번역원 연수과정 Ⅰ 졸업
현재 중앙대학교 강사

大學漢文

개정판 4쇄 발행일 2024. 9. 10

지은이 이찬욱 · 정숙인 · 이명현 · 김성문 · 심호남
펴낸곳 도서출판 동인
펴낸이 이성모
주 소 서울시 종로구 혜화로3길 5 118호
전 화 (02)765-7145
팩 스 (02)765-7165
E-mail donginpub@naver.com

등록번호 제 1-1599호
ISBN 978-89-5506-754-5
정 가 16,000원